W9-BUI-226

BOOK SOLD
NO LONGER R.H.P.L.
PROPERTY

ДЕТЕКТИВ & ПРИКЛЮЧЕНИЯ

Сериал «Команда отчаянных»

Антон Иванов
Анна Устинова

ЗаГадКа СтаРиННых ЧасоВ

Москва 2013

ЭКСМО

УДК 82-93
ББК 84(2Рос-Рус)6-4
    И 17

Оформление серии *С. Киселевой*

И 17   **Иванов А. Д.**
        Загадка старинных часов : повесть / Антон Иванов,
        Анна Устинова. — М. : Эксмо, 2013. — 192 с. — (Детектив & Приключения).

        ISBN 978-5-699-62566-6

У Команды отчаянных — новое дело, и касается оно их друга Сени Баскакова по кличке Баск. Его предки упилили на отдых, а сына оставили с домработницей Валентиной Аркадьевной в Москве. Пока ее не было дома, ребята знатно попировали и полюбовались антиквариатом, собранным нефтяным олигархом — отцом Баска. Очень их впечатлили напольные часы с боем «Карл Цвайс». Но тут вернулась злая Валентина, и ребята разошлись по домам... А утром в школу пришел убитый горем Баск — ночью часы встали, теперь ему нагорит от отца... Марго раскинула свои магические камушки, и вышло, что Баску грозит опасность и связано это с часами. Ребята открыли корпус часов и нашли там зеленую пуговицу! Вдруг туда хотят заложить бомбу для олигарха, а Валентина — агент его врагов?..

                                            УДК 82-93
                                            ББК 84(2Рос-Рус)6-4

                                    © Иванов А. Д., Устинова А. В., 2013
                                    © Оформление. ООО «Издательство
                                       «Эксмо», 2013

ISBN 978-5-699-62566-6

RICHMOND HILL PUBLIC LIBRARY
32972000063752   RH
Zagadka starinnykh chasov

Глава I

УНИКАЛЬНЫЙ ЭКЗЕМПЛЯР

Лифт остановился на последнем этаже. Иван, Герасим, Павел, Марго и Варвара вышли на лестничную площадку и огляделись.

— Нам сюда, — сверился с бумажкой Павел и уверенно надавил на кнопку звонка квартиры номер тридцать четыре.

— Та-ак, — заметила Варвара. — Тут, между прочим, видеокамера. Сначала нас всех изучат, а потом, может, и пустят.

— Или не пустят, — пробубнил длинный и худой, как жердь, Герасим Каменев по прозвищу Каменное Муму.

— Привет Команде отчаянных! — раздался в динамике бодрый голос их одноклассника Сени Баскакова. — Открываю. Заваливайте.

Электронный замок тихо зажужжал. Дверь распахнулась. На пороге возник здоровенный, коротко стриженный Сеня.

— Здорово, Баск! — поприветствовали его ребята.

— Что вы так долго? — осведомился тот.

— Герочку дедушка заставил собачку выгуливать, — вкрадчивым голоском сообщила Варя.

— А-а! — хохотнул Баск. — Арчибальда, что ли? Которого в сумке надо носить?

— Ну. — Каменное Муму покраснел и лишь отмахнулся.

Карликовый пинчер с громким именем Арчибальд был любимцем его дедушки, Льва Львовича Каменева, или, по-иному, Льва-в-квадрате. Причем дедушка Муму считал, что ходить по улице лапами Арчибальду вредно. Поэтому выгуливали его в специальной сумке, он просто дышал свежим воздухом, а чтобы сходить, так сказать, по нужде, у карликового пинчера Каменевых дома был кошачий туалет.

— В общем, Сенечка, потому и задержались, — тряхнула золотистыми кудряшками Варя.

— Главное, что все-таки дошли, — ответил хозяин квартиры. — Ну, раздевайтесь.

И он простер руку в сторону массивной и явно старинной вешалки красного дерева.

— Вот это да-а! — Варя с восхищением уставилась на монументальное произведение какого-то столяра девятнадцатого века. — По-моему, Баск, тут может раздеться даже «эскадрон гусар летучих».

— Предок купил, — отозвался Сеня. — Говорят, дворцовая вешалка.

— А ты верь больше. — Муму нацепил куртку на массивный бронзовый крючок. — Этих антикваров послушать, так у них все дворцовое. А в действительности ни фига подобного.

— Да мне-то без разницы, — равнодушно ответил Сеня. — Но вообще-то мой папандр в этом деле сечет. Потому что антиквариат — его хобби.

— Ну, если хобби... — чуть вздернулись вверх уголки губ у черноглазой Марго.

— Пошли. — Сеня первым направился по широкому длинному коридору и привел всю компанию в огромную гостиную.

— Вот это да! — едва оказавшись в комнате, воскликнула Варя.

Взгляд ее привлек огромный мраморный камин, на котором стояли старинные каминные часы.

— Он что, бутафорский, или горит? — поинтересовался Герасим.

Не дожидаясь ответа, он схватил стоящую рядом с камином кочергу и стал тыкать ею в золу.

— Настоящий! — вынес он вердикт. — Баск, дрова-то есть?

— Есть, — кивнул Сеня. — В кладовке.

— Ой, а давайте зажжем! — оживилась Варя. — Обожаю сидеть у камина.

— Это мы запросто. — Сеня был рад доставить удовольствие друзьям. — Ребята, за мной. Поможете.

Павел, Иван и Герасим последовали за ним в коридор. Марго и Варя остались в гостиной и начали с интересом озираться по сторонам. Посмотреть тут было на что. Вдоль стен стояли старинные шкафы и горки. Все — из красного дерева. В шкафах виднелись кожаные с золотым тиснением переплеты старинных книг. А горки были полны антикварной посуды и фарфоровых безделушек. Пространство между шкафами и горками заполнялось диванами, диванчиками, креслами и низенькими столиками — тоже сплошь антикварного происхождения. Темно-бордовые стены гостиной были увешаны множеством живописных полотен в тяжелых золоченых рамах. Среди них преобладали портреты: мужчины и женщины в нарядах прошлых веков, запечатленные на фоне богатых интерьеров.

— Интересно, — с задумчивым видом произнесла Варвара, разглядывая картины, — это наследство Сенькиных предков, или его отец просто так собирает?

— Полагаю, что просто так, — с характерной своей полуулыбкой откликнулась Маргарита.

— Все равно, когда Сенька вернется, спрошу. — Варю не оставляло любопытство.

Марго в это время перевела взгляд на потолок, а вернее, на две огромные хрустальные люстры с иссиня-кобальтовыми противовесами.

— Скромненькие лампочки, — в свою очередь посмотрела на люстры Варя.

— А вот и мы! — раздалось за спинами девочек.

Они оглянулись. Иван, Герасим, Павел и Сеня гордо внесли по охапке дров.

— По-моему, этого на два дня хватит, — прикинула Варя.

— Зато с запасом, — улыбнулся Баск. — Не бегать же каждые пять минут в кладовку.

Толстый розовощекий Павел Лунин, положив дрова у камина, с интересом уставился на стойку из красного дерева, в которой, кроме кочерги, нашлись еще и другие металлические приспособления для камина.

— Вот это как раз то, что требуется, — выхватил Павел длинный шампур. — Слушай, Баск, у тебя там сосисочек не найдется? А еще лучше — сарделечек?

И он любовно погладил сияющий под светом старинных люстр шампур.

— Вот так всегда, — скорбно покачала головой Варя. — Куда ни придем, наш Луна сразу о еде.

— Мясо на шампуре — это не еда, а творческий процесс. — Павла ничуть не смутило ее замечание. — Я бы даже сказал эстетический. И вообще, что мы, зря собрались камин разжигать?

— Вообще-то он прав, — неожиданно поддержал Луну обычно спорящий со всеми Герасим. — Сперва запечем мясо, а потом можно еще и картошечку.

— И этот туда же, — закатила глаза Варвара.

— Пошли на кухню, — деловито произнес Сеня. — Посмотрю там в холодильнике.

— А разжечь? — посмотрел на друзей Муму. — Пока еще разгорится. Чего зря терять время?

— Вот вы с Иваном и разожгите, пока мы на кухне будем, — принял решение Луна.

— Ладно, — кивнул Герасим.

— А сумеете? — с сомнением посмотрел Сеня на Муму и Ивана.

— Запросто, — заверил их Герасим. — Я всегда разжигаю все лучше всех. Хотите — костер, хотите — печку.

— Тогда трудитесь, — сдался хозяин квартиры и повел остальных на кухню.

Кухня у Баскаковых тоже была большой, но, в отличие от гостиной, вполне современной, со множеством разнообразной техники. Сеня открыл среднюю дверцу громадного трехстворчатого холодильника.

— Потрясающе! — заглянул внутрь Луна. — Есть все, что нам надо, и даже более того.

— Достаем, — бодро скомандовал Сеня.

— Слушай, — забеспокоилась Маргарита, — а твои предки как? Против не будут?

— Не будут, — откликнулся Сеня. — Потому что их нет и не будет.

— Как это? — Луна замер с кульком сарделек в руках.

— А так, — продолжал Баск. — Осиротел я вчистую на целых две недели. Отдыхать предки съехали. В Австралию. К кенгуру. Потому я тут и оказался.

Дело в том, что последние два года Сеня и его родители жили по преимуществу в большом загородном доме. А квартира на улице Александра Невского, которую отец Сени, Виталий Семенович, приобрел на заре своей деятельности в области нефтяного бизнеса, как правило, пустовала. Поэтому ребят удивило, что Сеню теперь оставили именно тут.

— Это все из-за фейерверка, — объяснил Баск. — Мы с ребятами его устроили.

— И что? — посмотрели на него остальные.

— Да сначала все шло как надо, — продолжал Сеня. — А потом у соседа нашего крыша загорелась. Он, видите ли, покрыл ее уникальной черепицей.

— Разве черепица горит? — изумился Луна.

— Именно о том я и говорю, — с серьезным видом изрек Баск. — Вообще-то этот Петров должен был нам только спасибо сказать. Потому что благодаря нашему фейерверку все вовремя обнаружилось. А то он все соседям хвастался: мол, бабки, конечно, выложил, зато крыша теперь вечная. Материал двадцать первого века. Выдержит все, что угодно. А оказалось, подделка. Бабки с Петрова слупили за двадцать первый век, а крышу покрыли обычным пластиком. Вот он и полыхнул от нашего фейерверка.

— И что же, весь дом сгорел? — полюбопытствовал Луна.

— Нет, — отмахнулся Баск. — Пожарные быстро приехали и потушили. Но крышу теперь по новой делать придется. Правда, ему все равно рано или поздно пришлось бы. Но этот Петров какой-то вообще тупой и своего счастья не понимает. Ведь если бы потом обман обнаружился, он эту черепичную фирму с ее двадцать первым веком фиг бы нашел. А так — пожалуйста. Все оказались на месте. Теперь он с них неустойку слупит. Плюс еще за моральный и физический ущерб. В общем, Петров вернет свои бабки даже с процентами. Я это все своему папандру объяснил, но он тоже почему-то не врубился. И сказал, что в поселке я не останусь. «Тебя, — говорит, — нужно срочно

изолировать от дурного влияния». А я-то тут при чем? — Сеня развел руками. — Фейерверк вообще был не мой. И задумка чужая. Я лишь только смотрел за компанию.

— Ни за что, значит, пострадал? — ехидно покосилась на него Варя.

— Ну, пострадал — это слишком сильно сказано, — откликнулся Сеня. — Просто перевезли сюда. Вместе с домомучительницей.

— С какой еще мучительницей? — У Марго округлились глаза.

— Карлсона не читала? — удивился Сеня. — И мультик не видела?

— Читала-смотрела, — заверила его Маргарита.

— Вот мне предок и нанял такую же домоправительницу-домомучительницу, как фрекен Бок. Только та была жутко толстая, а моя, наоборот, жутко худая.

— Она сейчас тоже здесь? — осведомилась Варвара.

— Нет, — покачал головой Баск. — Уперлась куда-то по своим делам.

— Вот и хорошо, — улыбнулся Луна и вновь полез в холодильник. — Сейчас мы еще помидорчиков тут возьмем, лучка и все это тоже на шампурчик нанижем вместе с сарделечками.

— Аппетит приходит во время еды, — фыркнула Варя. — Должна тебя сразу предупредить, Баск. Если ты нашего Луну не остановишь, он у тебя все содержимое холодильника на шампурчик нанижет.

— И пусть, — отнюдь не встревожился Сеня. — Домомучительница новую жратву купит. Ей бабки на это оставлены. Хватай, Луна, что считаешь нужным.

Павел тут же счел нужным прихватить баночку маринованных огурчиков и еще кое-какие мелочи, которые, по его словам, «классно монтировались с сардельками на шампурах».

— Та-ак, — посмотрела Варя на кухонный стол, куда Павел составил обильную снедь из холодильника. — Как бы нам это в один прием уволочь?

— Не только это, — мигом вмешался Луна. — Сенька, — повернулся он к Баску, — нам ведь еще и пить наверняка захочется.

— Навалом, — хозяин квартиры извлек из кухонного шкафа три пачки сока и минеральную воду.

Затем Баск подкатил столик на колесиках.

— Перегружайте сюда, а я стаканы достану.

— Очень правильное решение, — одобрил Луна и принялся нагружать столик съестными припасами.

Варя вдруг с шумом потянула носом воздух:

— Братцы, там, кажется, что-то горит.

— Да камин, наверное. — Луна хранил полную невозмутимость.

— Нет, это запах паленой шерсти, — снова принюхалась Варя.

— Ковер! — взвыл Сеня. — Предок меня убьет!

И он кинулся вон из кухни. Остальные побежали следом.

По гостиной плавал серый дым.

— Что вы, гады, спалили? — завопил Баск.

— Ничего, — кашляя, сообщил Каменное Муму. — У вас просто камин испортился. Тяги нету. Видно, что-то в дымоход упало, и он забился.

Иван в это время с помощью газеты пытался разогнать дым.

— Это не дымоход испортился, а вы идиоты, — стремглав подбежал к камину Баскаков. — Могли бы сами дотумкать и заслонку открыть.

Встав на цыпочки, он потянул на себя медную ручку. Над дымящейся кучей дров тут же взметнулись языки пламени. Дрова весело затрещали.

— Сенька, надо окно открыть! — воскликнул Павел.

Впрочем, Баск уже и без его советов повернул ручку окна. В комнату устремился морозный воздух.

— Бр-р! Холодно! — тут же поежились девочки.

— Если холодно, сыпьте на кухню, — распорядился Сеня. — Хорошо, что зима. Сейчас дым быстренько вытянет, а камин воздух нагреет, и все дела.

Марго и Варя поспешили в коридор.

— Кстати! — прокричал им вслед Луна. — Прикатите столик с продуктами. Мы его забыли на кухне.

— «Мы забыли», — обернулась Варя. — Это ты, Луна, и забыл.

— Не забыл, а оставил, — улыбнулся тот. — Когда пожар, какие уж там продукты.

Девочки фыркнули и убежали.

— Ну, ты мастер, — напустился Сеня на Герасима. — Тоже мне, специалист по разжиганию.

— Так ведь разжег, — с ходу заспорил Муму. — Смотрите, как горит. Чего вам еще надо?

— А заслонку почему не открыл? — задал новый вопрос Баскаков.

— Потому что в каминах, насколько я знаю, — с важностью произнес Герасим, — никаких заслонок быть не должно. Камин — это тебе, Сеня, не печка.

— У одних не должно, а у других должно, — стоял на своем Баскаков. — Тут, например, есть. Мог бы сообразить, если ты такой специалист.

На скуластом лице Герасима воцарилось именно то выражение, благодаря которому он приобрел прозвище Каменное Муму. Теперь он готов был до потери пульса отстаивать свою точку зрения.

— Давай вспомним, — угрюмо произнес он. — Ты меня, Баск, что просил? Разжечь. Я разжег? Разжег. Дрова горят? Горят. А про дым, между прочим, мы с тобой не договаривались. Так что ты ко мне привязался?

Здоровенный Баск ошалело похлопал глазами. Он явно не был готов к столь тщательно аргументированной дискуссии. А потому тихо ответил:

— Да я, собственно, ничего.

— Тогда прекратим этот бесполезный спор, — победоносно изрек Каменное Муму.

— Мальчики? — раздалось из коридора. — Вы проветрили? А то мы уже идем!

— Сейчас! — И Баскаков закрыл окно.

15

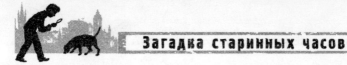

— Вкатывайте жратву! — подхватил Павел.

Девочки прикатили тележку. Луна, вооружившись шампуром, в задумчивости склонился над обилием продуктов.

— Значит, так, — он начал священнодействовать. — Сперва берем помидорчик...

«Бом-м!» — заполнил комнату оглушительный звук. Словно с добрый десяток неизвестно откуда возникших людей разом ударили молотками по медным тазам для варенья. Павел от неожиданности вздрогнул. Помидор, так и не достигнув шампура, шмякнулся о пол. «Бом-м! Бом-м! Бом-м! Бом-м! Бом-м!» Затем все смолкло.

— Что это? — хрипло осведомился Герасим.

— Испугались? — захохотал Баск. — Я и сам каждый раз пугаюсь. Хотя, по идее, должен уже привыкнуть.

— Что это было? — повторил Муму.

— Часы. Там. — И Сеня указал на арку в стене, которая соединяла гостиную с соседней комнатой. — Пошли покажу.

Луна, с грустью взглянув на лопнувший помидор, направился вместе с друзьями смотреть часы. За аркой оказалась столовая, обставленная примерно в том же духе, что и гостиная. Кругом старина, красное дерево. Посреди — огромный стол на двадцать четыре персоны, о чем свидетельствовало количество стульев с массивными спинками и мягкими сиденьями. Напольные часы-башня занимали одно из почетных мест в комнате.

— Ну, прямо Биг-Бен, — сказала Варвара.

— А по-моему, это не Биг-Бен, а тихий ужас, — еще не совсем отошел от шока Герасим.

— Где же, Мумушечка, твоя хваленая точность? — ехидно произнесла Варя. — Они, — ткнула девочка пальцем в полированный корпус часов, — совсем не тихий, а очень громкий ужас.

— Вот именно, — поддержал ее Сеня. — А представляете, каково мне ночью? Особенно когда я тут с ними первый раз ночевал. Я в пол-одиннадцатого отключился. Заснул. А они потом как двенадцать раз вдарят! Я спросонья вообще решил, что землетрясение началось.

— Так отключи их, и все дела, — посоветовал Павел.

— Как бы не так, — жалобно произнес Баск. — Предок их перед отъездом завел, а потом ключ куда-то спрятал. Теперь не остановишь. Завод-то у них на месяц.

— На ме-есяц? — протянул Иван.

— Ну, — кивнул Баскаков. — Уникальный механизм. Прошлый век. Фирма «Карл Цвайс». Номерной экземпляр.

— И под каким же номером? — язвительно осведомилась Варя.

— Номер два, — сообщил Сеня.

— А всего сколько номеров существует? — не отставала Варя.

— Десять. — Баскаков был в курсе дела. — Тут в чем примочка. Одно дело — просто часы «Карл Цвайс». Фирма, конечно, известная. У них любые часы дорого стоят. Но это, — указал он на свой домашний Биг-Бен, — настоящий раритет. Потому что первые десять штук изобрел и собрал вручную сам основатель фирмы. Говорят, этот Карл вообще-то начал и одиннадцатые собирать, но помер. То ли от чумы, то ли от холеры. Предок рассказывал, но я точно не помню. Во всяком случае, это была какая-то модная тогда инфекция.

— Слушайте, тут полно всяких стрелок, — задрав голову, Марго уже разглядывала большой, покрытый тончайшей гравировкой золотисто-серебряный циферблат часов.

— Стрелок много, — подтвердил Сеня. — И все они из чистого золота. Между прочим, эта штука, если ее не забывать вовремя заводить, показывает, кроме обычного времени, год, месяцы, дни недели, фазы Луны и еще много чего, но я не помню.

— Классная штука, — оценил Луна.

— Только вот бой у них ужасный, — снова пожаловался Сеня. — И никуда от этого не денешься.

— Полагаю, бой можно переделать, — с умным видом изрек Герасим.

— Можно-то можно, но кто же тебе позволит, — откликнулся Сеня. — Предок теперь на эти часы даже дышать боится. Он за ними давно охотился. Это же антикварная вещь. И менять ничего нельзя. Сразу цена упадет.

— Что же, они с девятнадцатого века так и ходят? — изумился Иван.

— Ну, — подтвердил Сеня. — В том-то и дело. То есть, вернее, пока их предок не приобрел, они очень долго стояли. А после их мастер почистил, и они сразу пошли. Предок специально их в этой квартире поставил. Мы же здесь почти не живем, а значит, бой никому не мешает.

— Понятно, — кивнули ребята.

— Думаю, — потер руки Луна, — нам теперь самое время заняться сарделечками.

— И впрямь, — горячо поддержал его Герасим, который проголодался еще во время прогулки с Арчибальдом.

Все вернулись в гостиную. Луна немедленно приступил к готовке. И вскоре по комнате распространились аппетитные запахи.

— Ну, прямо как в ресторане, — одобрил Сеня и облизнулся.

— Слушай, ты еще долго там? — Герасим кинул хищный взгляд на Павла.

— Действительно, — подхватила Варя. — С твоей стороны, Пашечка, просто какой-то садизм так долго не давать нам сарделечку.

— Кажется, кто-то совсем недавно упрекал меня в неуемном аппетите, — повернулся к ней Луна, щеки которого раскраснелись от каминного жара еще сильнее обычного.

— Так это тебе, Пашуня, давно пора худеть, — нашлась Варя, — а у меня и у Марго с фигурами полный порядок.

— У меня тоже, — ответил Луна, совершенно не испытывающий никаких комплексов по поводу собственной толщины. — Сколько раз тебе повторять, Варвара: мужчины должно быть много. И вообще, не давите на психику. Иначе я все испорчу.

К тому времени как Луна наконец нажарил на всю компанию сарделек с помидорами и луком, ребята изнывали от голода. И в считаные минуты смолотили совсем не малые порции.

— Луна, где картошка? — дожевывая последний кусок, осведомился Герасим.

— В золе, естественно, — улыбнулся друг. — Сейчас потыкаю, готово ли.

Вооружившись кочергой, Павел выгреб из золы три картофелины и ткнул в них вилкой.

— Кажется, жестковато.

Он собирался запихнуть картофелины обратно, но Герасим, оттолкнув друга, вонзил вилку в самый крупный и самый обуглившийся экземпляр.

— Нормально, — он впился зубами в картофелину. — Это просто Луна над нами уже измывается.

— Тогда разбираем! — И Марго тоже отыскала в золе картофелину.

Остальные последовали ее примеру.

Еще через четверть часа напряженного жевания импровизированный пир завершился.

— Эй, Сенька, — взгляд Герасима упал на собственные часы. — А раритет-то ваш того... сломался.

— Как сломался? — подскочил от ужаса на стуле Баскаков. — Откуда ты знаешь?

— Элементарная логика, милый мой, — покровительственно произнес Муму. — В шесть они били? Били. А теперь половина седьмого. Все нормальные бьющие часы должны отсчитывать половину одним ударом. Но твой «Цвайс»-то молчит.

— Фу-у, — облегченно выдохнул Сеня. — Дурак ты, Муму. Зря только меня напугал. Говорят же тебе: это не просто бьющие часы, а уникальные. И отзванивают они только четыре раза в сутки. В двенадцать и в шесть, а потом снова в двенадцать и в шесть.

— Так бы сразу и объяснил. — Герасим крайне обиделся, что его назвали дураком.

Сеня все-таки наведался в столовую и проверил. Уникальные часы с громким тиканьем продолжали отсчитывать ход неумолимого времени.

— Не, ребята, все в порядке, — снова вошел в гостиную совершенно успокоившийся Баск.

— Сеня, — указала на портреты Варвара, — а это что, ваши предки или так просто?

— Так просто, — внес тот ясность. — Отец собирает. Ему нравятся старинные портреты.

— А вот здесь что-то знакомое, — с задумчивым видом Марго разглядывала портрет какого-то худого старика в черном сюртуке и бабочке. — Я точно уже его где-то видела. Только вот где?

Лицо обычно добродушного Баска скривилось в брезгливой гримасе.

— Это Дж. Д. Рокфеллер, чтоб ему пусто было. Предок специально портрет заказал. По фотографии. И, между прочим, у нас в загородном доме такой же висит. Прямо в моей комнате. Я вам уже говорил: предок от этого Дж. Д. просто тащится.

Ребята понимающе кивнули. Причина Сениной нелюбви к Дж. Д. Рокфеллеру была им известна и, как ни странно, носила глубоко личный характер. Дело в том, что нефтяной олигарх Виталий Семенович Баскаков придерживался крайне суровых взглядов на воспитание сына. Баскаков-старший считал: раз сам он всего добился собственными силами, значит, и Сеня должен научиться с самых ранних лет преодолевать трудности. Поэтому на карманные расходы Баску, по его словам, «выделялся низший прожиточный минимум». А хуже всего стала складываться его жизнь после того, как Баскаков-старший прочитал биографию Дж. Д. Рокфеллера.

К счастью для Сени, Виталий Семенович не мог, по примеру семьи американского миллиардера, заставить сына донашивать платья выросших старших девочек, потому что Баск был его единственным отпрыском. Заставить его ловить мышей по центу за штуку Виталий Семенович тоже не мог. В квартире и загородном доме Баскаковых этих животных не водилось. Но и того, что отец сумел воплотить в жизнь, Сене казалось более чем достаточно.

Тщательно проштудировав книгу о любимом Дж. Д., Виталий Семенович позвал к себе в кабинет единственного сына и наследника.

— В общем, так, — тоном, не допускающим возражений, объявил он. — Я понимаю и вполне разделяю твое мнение, что тебе требуются карманные деньги. Но теперь ты будешь их сам зарабатывать.

Сын пробовал возразить, но тщетно. И жизнь его с тех пор стала складываться совершенно невыносимым образом. Хитроумный нефтяной олигарх выработал систему поощрений и взысканий.

Например, если Сеня брался за уборку собственной комнаты или за какие-нибудь другие домашние дела, ему насчитывался заработок. Но когда он при этом что-нибудь портил, из заработка вычиталась сумма загубленной вещи. И так выходило, что Сеня чаще всего оказывался не с карманными деньгами, а в неоплатном долгу.

— Из-за этого самого Дж. Д. — Баск продолжал со скорбью и гневом взирать на портрет Рокфеллера, чей образ ему отнюдь не казался светлым. — Так вот, из-за этого гада, — продолжал он жаловаться друзьям, — я всю жизнь теперь буду расплачиваться. Мне только один этот фейерверк придется не меньше чем полгода отрабатывать.

— При чем тут фейерверк? — посмотрела на мальчика Маргарита. — Ты ведь сказал, что не виноват. Неужели отец заставит тебя отрабатывать крышу Петрова?

— Если бы, — вздохнул Сеня. — Крыша-то халтурная. Ее фирма оплатит. Но предок как рассудил? Раз я принял в этом участие и ему пришлось объясняться с Петровым, значит, он потерял время. А папандр мне постоянно твердит: «Мое время, сынок, — это деньги». Вот он и скалькулировал потерянное на объяснение с Петровым время по отношению к деньгам, которые мог за этот период заработать. А так как Петров — мужик скандальный, то объяснялись они долго. Сумму назвать?

— Лучше не надо! — замахал длинными руками Герасим. Ему было даже страшно представить, сколько зарабатывал за час или два нефтяной олигарх.

— У других предки как предки, — ощутив общее сочувствие, Баск впал в окончательную тоску, — а у меня... — И, затруднившись подобрать нужное слово, Сеня умолк.

Варя и Марго переглянулись. Обе они не хотели бы быть детьми олигархов.

— Предок меня еще почему сюда отправил, — снова заговорил Баск. — Во-первых, в воспитательных целях. А потом, чтоб бензин зря не тратить. Мол, чего из-за тебя одного машину взад-вперед гонять. А так я здесь. Шофера папандр отправил в отпуск; и горничную, и повара — тоже. В доме остались только два охранника. А мне сюда наняли по дешевке домомучительницу.

— Почему по дешевке? — спросила Варя.

— Это ты у нее спроси, — откликнулся Баск. — Она пришла и попросила. Предок остался очень доволен. Он называет ее «скромной хорошей женщиной».

Последние слова Сеня произнес с такой интонацией, что Луна тут же поинтересовался:

— А что, жутко противная?

— Да, в общем, не так чтобы жутко, — объяснил Баск. — Она пока меня не особенно напрягает. Но без нее было бы гораздо лучше.

— Не сомневаюсь, — убежденно произнес Иван.

— «На свете счастья нет, но есть покой и воля», — Варя весьма к месту процитировала Пушкина.

— Это, Варвара, одни мечты, — покачал головой Баск. — А в действительности нет ни покоя, ни счастья, ни воли.

Из передней послышался хлопок двери.

— Ну, я же говорил, — с тяжелым вздохом изрек Баскаков. — Она вернулась.

— Кто? — спросил Каменное Муму.

— Ва-лен-ти-на, — по складам и шепотом произнес Сеня. — До-мо-му-чи-тель-ни-ца.

Судя по звукам, доносившимся до ребят из передней, домомучительница повесила шубу, затем сбросила сапоги и направилась в гостиную.

— Здравствуйте, — строго оглядела она всю компанию и начала принюхиваться. — Почему тут пахнет паленым? И камин зачем разожгли? В квартире, кажется, топят.

— Да мы тут… знаете, — с кротким видом начала Варя. — Камин — это очень красиво.

— И очень грязно, — резким голосом перебила домомучительница. — Вы разожгли, а мне потом убирать. Ковер, надеюсь, не спалили?

— Нет, Валентина Аркадьевна, — робко произнес Сеня. — Мы осторожненько.

— А ели зачем здесь? — покосилась на грязные тарелки домомучительница. — Сеня, по-моему, я тебе перед уходом русским языком объяснила: все приготовлено на кухне.

— Да я… да мы… Тут, у камина, как-то уютней, — нашел наконец объяснение Баск.

— Ладно, — смирилась Валентина Аркадьевна.

— Не беспокойтесь, — с самым что ни на есть ангельским видом сказала Варя. — Мы сейчас все отнесем на кухню и вымоем.

— Ну, раз так… — Домомучительница заметно смягчилась. — Если что надо, я буду у себя в комнате.

И она вышла из гостиной.

Впрочем, настроение у ребят уже было испорчено.

— Давайте по-быстрому все уберем, — поторопила Марго, — и домой. Все равно нам уже пора.

— Да посидите еще. — Сене не хотелось оставаться один на один с домомучительницей.

— Нет, Баск, — возразил Луна, — нам и впрямь уже пора. Мы лучше еще придем.

— И в другой раз посидим подольше, — подхватила Варя.

— Как хотите, — вздохнул Сеня.

Ребята быстро справились с посудой и пошли одеваться.

— Ты тут держись, — хлопнул Сеню по плечу Луна. — Мы всегда мысленно с тобой.

— До завтра, — уныло откликнулся тот и выпустил всю компанию на лестничную площадку.

Наутро, когда Иван, Герасим, Марго и Варя вошли во двор дома номер двадцать шесть по Ленинградскому проспекту, где их поджидал возле своего подъезда разрумянившийся от мороза Луна, послышался громкий окрик:

— Ребята! Ребята! Подождите!

Вся компания, уже было направившая стопы в сторону экспериментальной авторской школы «Пирамида», где они учились в восьмом «А» классе, обернулась на крик. К ним со всех ног поспешал Сеня Баскаков:

— Стойте, стойте! Со мной тут такое...

И он осекся, чтобы перевести дух. По выпученным его глазам и растерянному виду ребята поняли: произошло что-то из ряда вон выходящее.

— Сенечка, — всплеснула руками Варя, — неужели домомучительница твоя исчезла?

— С мучительницей порядок, — выдохнул Баск. — Тут совершенно другое.

— Какое? — мигом насторожился Герасим.

— Часы! — издал трагический вопль Сеня.

— Что часы? — подался чуть вперед Павел.

— С ними такое... такое... — никак не мог подобрать нужных слов Баск. — А теперь еще они встали!

Глава II

«КАРЛ ЦВАЙС» СХОДИТ С УМА

— Ты можешь объяснить внятно? — спросил Луна. — Что у тебя с этим антиквариатом стряслось?

— Дело ясное, — уверенно произнес Муму. — Баск пытался остановить часы, и они испортились.

— Фигли! — возопил Сеня. — Ничего я не пытался. Они все сделали сами, и не только это!

— Дурдом, — Варя покрутила пальцем возле виска. — Что, Сенечка, «не только это»?

— Тупые совсем? — выпалил Баск. — Говорю им, говорю, а они не врубаются.

— Говоришь ты много, — перебил Иван. — Но пока как-то не очень по делу.

— И впрямь, Сенька, — сказала Марго. — Давай-ка поясней. Иначе мы так до начала уроков ничего и не узнаем.

— Черт с ними, с уроками! — взвыл Баск. — Тут, может, вообще вопрос моей жизни и смерти решается.

— Жизни и смерти? — изумленно уставилась на него Марго.

— Именно, — с трагическим видом продолжал Сеня. — Предок вернется и тут же увидит, что его дорогой «Цвайс» откинул копыта. А если еще окажется, что он безнадежно сломан? Мне тогда не только до конца школы, но и вообще до конца своих дней не видеть карманных денег.

— Вообще наследства лишат, — сладеньким голоском произнесла Варя.

— Какого еще наследства? — ошалело уставился на нее Сеня.

— О-ли-гар-хи-чес-ко-го, — откликнулась Варя.

— Кончай издеваться! — простонал Баск. — И без того тошно.

— Я пока одного не понимаю, — зануднейшим голосом начал Муму. — Это ты сломал часы или не ты? Если не ты, то чего волнуешься? А если ты, то просто дурак.

— Да не ломал я! — грянул на весь двор Баск. — Но предку-то без разницы. Он все равно на меня подумает. Скажет: «Больше некому было ломать». А вообще с этим «Цвайсом» такая история... Ну просто полный абзац. Расскажи кто другой, не поверил бы. Но я же видел. Понимаете, видел!

— Так. — Луна хлопнул Сеню по плечу. — Или ты сейчас берешь себя в руки, напрягаешь волю и излагаешь нам по порядку все, что случилось, или мы идем в школу.

— Ща.

Сеня глубоко вздохнул, затем с шумом выдохнул воздух и, выдержав короткую паузу, загробным голосом произнес:

— Я проснулся, а они бьют.

На этом поток красноречия у Баска иссяк, и он задумался.

— Очень хорошо, — ободрил Павел. — Теперь мы по крайней мере можем сделать вывод, что часы тебя разбудили либо в полночь, либо в шесть утра.

— Ни фига, — отозвался Сеня. — Они разбудили меня ровно в три ночи.

— В три-и? — хором воскликнули ребята.

— Они же у тебя в это время не бьют, — добавил Иван.

— В том-то и дело, — с волнением продолжил Баск. — Я, как проснулся, взглянул на будильник, а он три часа показывает. Тут меня и шарахнуло. Последний сон слетел. Думаю: «Либо будильник скапутился, либо у «Цвайса» крыша поехала». Но будильник-то у меня электронный. С дисплеем. И цифры светятся. Значит, с ним полный порядок. Иначе дисплей бы погас. Выходит, дело в «Цвайсе». Я свет пытаюсь включить, надо же проверить, что там с «Цвайсом». Но свет не включается. Ни возле кровати, ни на потолке.

Тут у меня в голове все и сложилось: воры электричество и сигнализацию вырубили, в квартиру проникли и пытаются «Цвайс» увести. Я телефон-

ную трубку нашариваю. Она у меня всегда ночью возле кровати лежит. Нету трубки. Потом вдруг вспомнил: я ведь сейчас в Москве, а трубка возле кровати у меня там, в загородном доме, всегда лежит. Я к двери. Ближайший радиотелефон в коридоре. Думаю: «Проберусь, схвачу трубку, а потом из своей комнаты позвоню в милицию». Выхожу. Тьма — хоть глаз выколи, но тихо. Я, конечно, некоторое время ждал. Слушал. Ни единого звука. Ну, я и засомневался: «А вдруг мне вообще все приснилось? И «Цвайс», может, на самом деле не бил. Зачем тогда в милицию звонить?»

— Слушай, а сколько раз часы били, когда ты проснулся? — спросила Марго.

— Чего не знаю, того не знаю, — пожал плечами Баск. — Понимаете, я проснулся, а «Цвайс» заткнулся.

— Так приснилось или не приснилось? — не выдержал Герасим.

— Не перебивай, — ушел от ответа Сеня. — В общем, я решил посмотреть. Думаю: «Если там кто есть, проберусь обратно и тогда уж позвоню». Дошел до гостиной. А там окна занавешены плотными шторами. Темно, как в бочке. Я ко входу в столовую пробираюсь и только о том и думаю, чтобы ни на что не наткнуться. Представляете, если там кто-то есть?

— А там есть? То есть был кто-нибудь? — опять не выдержал Каменное Муму.

— Там было тихо, — почему-то понизил голос почти до шепота Сеня. — Только когда я уже почти до самой арки добрался, услышал, как вроде что-то шуршит.

— Что значит шуршит? — не отставал Герасим.

— Давай сюда книжку, — потребовал Сеня.

— Какую книжку? — вытаращился на него Муму.

— Любую, любую, — скороговоркой выпалил Баск.

— История подойдет? — Герасим извлек из сумки учебник.

— Да подойдет, подойдет.

Сеня вырвал у него из рук книгу, раскрыл и, прижав большим пальцем срез, перелистнул страницы. Послышался равномерный и тихий шорох.

— Вот. Точно так и шуршало, — прокомментировал свои действия Баск.

— Там что, кто-то книжку листал? — изумился Герасим. — В темноте?

— Никакую не книжку, — откликнулся Баскаков. — И в столовой было не совсем темно. Потому что занавески на окне не задернули, и в комнату падал свет с улицы.

— Ты, Баск, уходишь от сути, — нетерпеливо проговорил Муму. — В столовой кто-то был или никого не было?

— Было, — с усилием произнес Сеня. — Только не знаю, кто или что.

— Слушай, а поконкретней нельзя? — на сей раз вмешался Луна.

— Я осторожно из арки выглянул, а оно исчезло, — с трудом подбирая слова, продолжал Баск.

31

— Оно? — переспросили ребята.

— Оно, — кивнул Сеня. — Такое. Белое. Мелькнуло и растворилось в воздухе.

— Какого размера? — Герасим любил во всем точность.

— Да какого-то такого, — Сеня очертил в воздухе нечто похожее на круг.

— Круглое? — не сводили с него глаз остальные.

— Может, да, а может, и нет, — ответил Сеня. — Не знаю. Говорю же вам: оно мелькнуло и растворилось. Я ничего понять не успел. А «Цвайс» продолжал шуршать.

— Значит, это он шуршал? — широко раскрыла глаза Марго.

— Ну, — подтвердил Сеня. — Я подхожу к нему, свет из окна прямо на циферблат падает. Поэтому видно отлично. Представляете, там все до одной его стрелки крутятся как сумасшедшие. И шуршат, шуршат. Мне так жутко сделалось. И главное, я как встал перед этим «Цвайсом», так ни взгляд не могу отвести, ни двинуться. Сколько времени так прошло, не знаю. А потом вдруг в «Цвайсе» что-то как щелкнет. И он тяжело так вздохнул.

— Вздохнул? — удивились друзья.

— Ага. — И Сеня, набрав в легкие побольше воздуха, с тоскливым стоном выдохнул.

— А потом? — полюбопытствовали друзья.

— Он вздохнул, стрелки перестали вертеться и вполне нормально пошли. Будто ничего и не было.

— А ты? — спросила Марго.

— Я из ступора вышел, — отозвался Баск.

— А это белое больше не появлялось? — осведомился Герасим.

Баск покачал головой:

— Не появлялось.

— Ну а дальше чего? — полюбопытствовал Луна.

— Я по квартире на всякий пожарный прошелся. Вроде везде тихо. Но все-таки мучительницу разбудил. Она спросонья шары на меня выкатила и спрашивает: «Что, разве уже вставать пора?» Ну, я ей и объясняю: «Вообще-то, наверное, еще не совсем пора, но у нас кто-то свет вырубил». А Валентина Аркадьевна щелк выключателем, и лампа зажглась. Я — к себе. Думаю: «Может, только у меня проводка испортилась?» Но и там все работает. Мы вместе с мучительницей всю квартиру обследовали. Тишь, гладь да божья благодать. Я совсем успокоился, лег и тут же заснул. А утром «Цвайса» пошел проверить. А он стоит.

— Ну и что? — не поняли ребята. — Он у тебя разве обычно с утра летает?

— Тупые? — заорал Сеня. — Не он стоит, а стрелки. Механизм не работает.

— А времени сколько показывало? — зачем-то понадобилось выяснить Луне.

— Половина четвертого, — сообщил Сеня.

— Исто-ория, — протянул Иван.

Остальные молчали.

— Теперь понимаете? — первым нарушил тишину Баск.

— Погоди, — жестом остановил его Луна. — Итак, что мы имеем? Ты, Сенька, проснулся. Часы били в неурочное время. Электричество вырубилось. Потом «Цвайс» шуршал и стрелки крутились. Потом вроде бы все наладилось. Но в половине четвертого механизм окончательно остановился. Какой из этого следует вывод?

Друзья пожали плечами.

— А я прихожу вот к какому выводу, — с многозначительным видом продолжал Луна. — Думаю, электричество к этой истории отношения не имеет. Его по каким-то причинам на короткое время вырубили. Или во всем доме, или вообще в целом районе. Такое иногда случается.

— Надо проверить, вырубали или не вырубали, — вмешался Герасим.

— Боюсь, не проверим, — развел руками Луна. — Если бы это случилось днем или вечером — другое дело. Но в три ночи большинство людей спит. А второй вывод — что у «Цвайса» испортился механизм.

— Не мог он испортиться, — запротестовал Сеня. — Его совсем недавно почистили и отладили. И мастер сказал, что он еще сто лет будет работать.

— Наивный ты человек, Семен, — покровительственно похлопал его по плечу Герасим. — Думаешь, мастера не ошибаются? Он сказал сто лет, а в «Цвайсе» вашем какая-нибудь старая шестеренка полетела. Разве так не бывает?

— Бывает. — Баск признал правоту друга. — Но я уверен: дело тут в чем-то другом.

— В чем другом? — задал новый вопрос Герасим.

34

— Не знаю, — честно признался Баск, — но чувствую. И потом, что же я в таком случае видел, когда заглянул в столовую?

— Может, тебе просто показалось? — предположила Марго. — Так ведь тоже бывает.

— Не показалось, — упрямо настаивал Сеня. — Я точно знаю, только вот не пойму, что это такое.

— Откуда ты можешь точно знать, что действительно это видел? — вмешался Герасим. — Я, например, вполне допускаю, что тебе могло показаться.

— А я не допускаю, — стоял на своем Баск.

— И очень зря, — продолжал Муму. — Тут надо учитывать два фактора. Во-первых, твое экстремальное состояние.

Варя фыркнула.

— Не вижу ничего смешного. — Муму кинул на нее грозный взгляд. — В таком состоянии, Сенька, тебе еще и не то могло пригрезиться. А потом, ты ведь сам говорил: во всей квартире была тьма, хоть глаз выколи. А в столовой не задернули занавески. Вдруг по улице проехала машина, свет фар скользнул по стене столовой, вот тебе и показалось.

— Шарики у тебя самого за ролики заехали, в башке скользнули. — Баск покрутил пальцем у виска. — Ты хоть помнишь, Муму, на каком этаже я живу? На двенадцатом. А он — фары, машина!

— Мог и вертолет, например, пролететь. — Герасим не любил расставаться с собственными версиями.

— Еще лучше, — хохотнул Сеня. — Да от вертолета такой бы грохот поднялся. А в квартире стояла тишина, как в могиле.

— Могла и реклама на соседнем доме мигнуть, — нашел еще одно объяснение Муму.

— Тогда бы она все время мигала, — возразил Баск. — А больше ничего подобного не было.

— Она могла мигнуть и перегореть, — упрямо гнул свое Герасим.

— Нет, — покачал головой Баск. — Это было другое.

— Это, может, и другое, — сказала Варя. — Но вынуждена вам сообщить, что я замерзла.

— Я тоже, — подхватила Марго.

— И я, — посиневшими губами еле выговорил тощий Герасим, который зимой почти всегда мерз.

— Можно, конечно, в школу пойти, — не очень уверенно сказал Луна. — Но, по-моему, лучше явиться туда к концу первого урока. Чтобы глаза не мозолить и ни на кого не нарваться.

— Тогда куда же? — спросили девочки.

Герасим взглянул на часы:

— До конца географии еще целых полчаса. Я на улице столько не выдержу.

— Тогда-а, тогда-а, — задумчиво протянул Луна, — ближе всего мой подъезд. Но туда тоже нельзя. Соседи еще засекут. Предкам стукнут.

— А ко мне далеко, и мучительница на месте, — внес ясность Баск.

Тут же выяснилось, что у всех в квартирах находится кто-нибудь из взрослых.

— Тогда все-таки придется идти в школу, — решительно произнес Герасим. — Пока разденемся, пока то да се. Ну и, в конце концов, неужели мы с вами не найдем в целой школе одного укромного уголка, чтобы переждать остаток урока?

— Полагаю, найдем, — хлопнул его по плечу Луна.

И вся компания двинулась в сторону школы.

Десять минут спустя, счастливо избежав нежелательных встреч, ребята устроились в уголке под лестницей. Времени до перемены еще оставалось достаточно, и Луна попросил Баска рассказать все сначала о приключениях минувшей ночи. Баск послушался, однако ничего нового ребятам выяснить не удалось. Кроме того, что все окончательно убедились, какая странная это история.

— А самое главное, — уныло произнес в заключение Баск, — я просто ума не приложу, что теперь с «Карлом Цвайсом» делать. Может, у него просто как-нибудь завод сбился и их всего-навсего нужно еще раз завести.

— Погоди, погоди, — осенило вдруг Варю. — Ты вроде говорил, там, в часах, что-то шуршало.

— Ну, — подтвердил Сеня.

— Может, просто внутрь мышка какая-нибудь забралась? — продолжала светловолосая девочка. — Понимаешь, забралась туда, побегала и сбила что-то в механизме.

— Какая мышка? — возмутился Сеня. — Ты нашу квартиру видела? Разве в таких бывают мыши?

— Мыши бывают везде. — Варю ничуть не обескуражило Сенино заявление. — Тем более что вы в своей квартире почти не живете. А мышь могла прийти от соседей.

— В нашем доме ни у кого нет мышей, — уверенно произнес Баск. — Там все квартиры такие же крутые.

— Раз крутые, то кто-нибудь, например, мог купить мебель, — и тут не сдалась Варвара. — А в магазине на складе были мыши. Вот пара экземпляров в каком-нибудь шкафчике и переехала. Потом они расплодились. Их стали травить, и они спаслись в вашей квартире.

— Полный бред, — почесал коротко стриженный затылок Сеня.

— Как раз все вполне логично, — вмешалась Марго. — Именно таким образом нашим соседям завезли тараканов. Теперь они уже два года не могут от них избавиться.

— А если у тебя действительно мыши, — сказал Муму, — то им испортить часы ничего не стоит. Вот дед мой рассказывал, как в его бывшей лаборатории всего одна крыса вывела из строя уникальнейший дорогой агрегат. Она там какую-то микросхему схрумкала, и год работы целого научно-исследовательского института пошел насмарку.

— Ты серьезно? — спросил Сеня.

— Вполне, — кивнул Каменное Муму. — Дед до сих пор не может успокоиться. Ему за эту работу должны были какую-то престижную премию дать, а в результате на пенсию отправили.

— Так, может, и у меня все дело в обыкновенной мышке? — с надеждою произнес Сеня.

— А я о чем, — снова заговорила Варя. — Откроем корпус часов, мышку выгоним, механизм заведем, и тогда никакой приезд олигарха тебе, Баск, не страшен.

— Не откроем, — вновь охватило уныние Сеню. — От корпуса-то ключа тоже нет. Он у отца.

— А вдруг мы другой ключ подобрать к замку сможем? — не растерялся Луна. — И вообще, Семен, поищи у предка в письменном столе или еще где-нибудь. Вдруг он ключ просто в квартире спрятал?

— И впрямь, — сказал Иван. — Сомневаюсь, чтобы твой предок увез ключи от часов к кенгуру.

— Поищу, — откликнулся Баск. — Но даже если они найдутся, как мы там мышь обнаружим? Она ведь, наверное, сама к нам не выйдет.

— Кота принесем, — заговорщицки проговорила Марго.

— У нас ведь ни у кого кошек нет, — напомнил Герасим.

— Фантомаса одолжу, — откликнулась девочка.

— Фантомаса? — удивился Баск.

— Да, — Маргарита тряхнула иссиня-черными волосами. — Это кличка кота. А хозяйка недавно как раз моей бабушке хвасталась, что прошлым летом на даче ее дорогой Фанечка переловил мышей чуть ли не во всей округе. Вот и пусть теперь послужит человечеству.

— Тогда после уроков бери кота и ко мне, — сказал Баск.

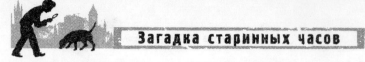
— Именно так мы и сделаем, — согласился Луна.

Звонок возвестил о начале первой перемены. На лестнице тут же послышались нестройный топот и вопли. Это питомцы экспериментальной школы «Пирамида» разряжались после сорока пяти минут неподвижного сидения в классах.

— Пошли, — Луна первым покинул укрытие под лестницей.

Остальные следом за ним начали подниматься наверх.

— Где вы пропадаете? — остановила их на площадке второго этажа одноклассница Наташка Дятлова. — Географии-то не было.

— А что вместо? — с ходу поинтересовался Герасим.

— Просто сидели, — объяснила Наташка.

— Одни? — спросил Баск.

— С Афанасием Ивановичем, — отозвалась Дятлова. — Он рассказывал нам о своей молодости.

— Славненько, славненько, — обрадовалась Варвара. — Значит, мы ничего не прогуляли.

— Ничего, — подтвердила Наташка. — А вы-то где были? — снова осведомилась она и поглядела на Ивана.

— Где надо, там и были, — перехватив ее взгляд, подчеркнуто суровым голосом проговорила Марго.

— Не хотите, можете не говорить, — Дятлова оскорбленно передернула плечами.

— Не не хотим, а не можем, — буркнул Герасим. — Это тайна.

40

— Тайна? — уставилась на него Дятлова. — Неужели снова что-нибудь расследуете?

— Ничего не расследуем, — поторопился заверить ее Павел. — Просто были кое-какие дела.

Варя в это время испепеляла взглядом Герасима. Он чуть все не испортил. Теперь придется заговаривать любопытной Дятловой зубы. Однако Наташка сама пришла им на помощь:

— Кстати, о делах. Мы завтра наконец соберемся, или вы снова будете заняты? Между прочим, до Нового года всего ничего осталось. Будем мы делать газету или не будем?

— Будем, Наташка, будем! — пылко ответила Маргарита. — Я даже уже ватман купила. Завтра после уроков останемся и начнем.

— Ну, будем надеяться, завтра у вас ничего не сорвется, — явно обрадовалась Наташка и снова взглянула на Ваню.

Марго пришлось совсем не по душе повышенное внимание Дятловой к Ивану, однако, сдержавшись, она повторила:

— Будь спокойна, Наташка. Завтра начнем.

— Тогда договорились. — И, в третий раз состроив глазки Ивану, Наташка убежала.

— Ну, Марго, — сквозь зубы процедил Муму, — втравила ты нас в поездочку.

— Ребята, — Баск был совершенно не в курсе, — что это за газета?

— Она придумала. — Герасим с гневом направил указующий перст на Марго. — У нее и спрашивай.

— Да понимаешь, — откинув упавшие на лицо волосы, смущенно пролепетала девочка. — Это такая новогодняя стенгазета-сюрприз.

— На фига? — У Сени едва не вылезли из орбит глаза. — Я понимаю, Дятлова. Но вам-то зачем?

— Вот и я все время говорю: зачем? — заунуднейшим голосом произнес Герасим. — Причем учти, Баск. Это идея не Дятловой, а Марго. Она про газету придумала, да еще зачем-то Дятлову подключила.

— С какой радости? — еще сильней изумился Сеня.

— Так было на тот момент надо, — коротко бросила Марго и умолкла.

Остальные смерили ее недоуменными взглядами. Посвящена в эту историю была одна лишь Варя, ибо принимала в ней непосредственное участие. Однако обе девочки тщательно оберегали тайну от мужской части Команды отчаянных.

Некоторое время назад Варя и Марго обратили внимание: во время уроков Дятлова, которая раньше ни о чем не думала, кроме учебы, постоянно оборачивается, чтобы потаращиться на Ивана. Потаращившись, Дятлова тайно вздыхала, а затем принималась что-то бурно и долго строчить в тетради. Марго и Варя немедленно заподозрили, что Наташка явно неравнодушна к Холмскому, и решили проверить, насколько обоснованы их подозрения. Был разработан план. На ближайшей же перемене Марго отвлекает Дятлову разговором, а Варя, пользуясь этим, заглядывает в Наташкину заветную тетрадь.

Именно чтобы отвлечь Дятлову, Марго и ляпнула первое пришедшее в голову. А именно, что неплохо бы сделать новогоднюю стенгазету для всего их восьмого «А» класса. Общественно-активной Дятловой идея очень понравилась. Зато Команда отчаянных восприняла все совсем не так благодушно. А главное, ребята совершенно не понимали, почему должны убивать драгоценное свободное время на стенгазету, да еще совместно с Дятловой. Маргарита на все расспросы отвечала либо крайне туманно, либо отмалчивалась. А мальчики терялись в догадках.

Пролистав тетрадь Дятловой, Варвара убедилась, что они с Марго были правы. Все Наташкины записи касались Ивана. Марго это расстроило вдвойне. Правда, Иван вроде бы не обращал на Дятлову никакого внимания. Во всяком случае, пока. Но, во-первых, чужая душа потемки. А во-вторых, ляпнув про эту дурацкую новогоднюю газету, она, Марго, волей-неволей способствовала тому, что Наташка теперь будет все время находиться рядом с Холмским. Глупей не придумаешь. Однако поделать уже ничего было нельзя. Остается надеяться на лучшее да побыстрей сделать газету. Пока этого не произойдет, Дятлова все равно не отвяжется.

— Я по-прежнему не врубаюсь, — повторил Сеня. — На фига вам эта газета?

— Тебе, по-моему, русским языком объяснили. — Варю стало охватывать раздражение. — Сюрприз. Для всего нашего дорогого класса.

— А-а, — расплылся в глупой улыбке Баск. — Сюрприз — это понятно. Но я все равно не врубаюсь.

— А я тебя, между прочим, врубаться не уговариваю, — откликнулась Варя, — но делать газету надо. Придется, Сенечка.

— Как? — разинул рот Баск. — И мне?

— А почему бы нет? — продолжала Варя.

— Ребята, я разве чокнутый? — в полной растерянности посмотрел на друзей Баск.

— Ну-ну, — обиженно сказала Марго. — Значит, по-твоему, когда я пойду одалживать у соседки кота, чтобы искать мышь в твоем «Цвайсе», то это нормально. А как газету помочь нам делать, то ты не чокнутый.

— Действительно, — подхватила Варя. — Не хочешь делать газету, сам и возись со своим дорогим «Цвайсом».

— Да я ничего. Могу и газету, если хотите, — мигом пошел на попятную Сеня.

— Вот и отлично, — кивнула Варвара, и они обменялись с Марго выразительными взглядами.

Обе девочки посчитали участие Баска в создании новогодней газеты крайне удачным. Ибо есть шанс, что Сеня отвлечет на себя хоть часть внимания Дятловой.

— Значит, согласен? — внимательно посмотрела Марго на Сеню.

— Куда ж мне теперь деваться, — ответил тот. — Правда, пользы от меня в этом деле ровно ноль. Рисую я плохо. Пишу еще хуже.

— Насчет этого, Сенечка, не волнуйся, — с уверенностью заявила Варвара. — Найдем, куда тебя приспособить. — И они снова украдкой перемигнулись с Марго.

— Как знаете. — Баск полностью покорился судьбе. Главным для него было утрясти дело с «Карлом Цвайсом».

— Девочки, может, знают, а я, например, не знаю, — вмешался Герасим, — как можно приспособить к созданию газеты человека, который ничего такого не умеет.

— Не знаешь, и молчи, — огрызнулась Варя.

— Да ты и сама не знаешь. — Муму охватил очередной полемический задор, и на лице его воцарилось хорошо знакомое Команде отчаянных тупое упрямое выражение.

— Я-то как раз, Мумушечка, знаю, — в свою очередь заело Варвару.

— Врешь, — мрачно взирал на нее сверху вниз длинный тощий Герасим.

— Ах так, — разыграла возмущение Варя и с ангельским видом добавила: — Разве ты не знаешь, я никогда не вру.

— Тогда скажи, — потребовал Муму.

— Пожалуйста, — невозмутимо произнесла она. — У нас в газете будет раздел светской хроники. А для него нужны фотографии, которые как бы сделаны скрытой камерой. Уж это Сенька умеет. И фотоаппарат у него есть.

— Три фотоаппарата. — Баск расплылся в довольной улыбке. Все, что касалось техники, было его стихией. — Классный ход, Варька, — продол-

жал он. — Я вам для этой газеты таких фоток наделаю. Учителей тоже надо? — У Сени загорелись глаза.

— Вообще-то не помешает, — сказала Варя.

— И завуча? — Баск все больше входил во вкус предстоящего дела.

— Почему бы и нет. — Ивану тоже очень понравилась эта идея. — Слушай, Сенька. Давай вместе. Я тоже хочу.

— Валяй, — проявил широту души Баск.

— Очень хорошо, — одобрила Марго. — Чем больше у нас будет снимков, тем лучше. А для газеты отберем самые удачные. Завтра после уроков встретимся, посмотрим, чего у нас не хватает. Название для газеты придумаем. Напишем его.

— А снимать когда? — теперь Баску не терпелось приняться за дело.

— Ну, сегодня уже не получится, — ответил Иван. — Фотоаппаратов-то у нас с собой нет. А завтра с утра приступим.

— Отлично, — Сеня одобрил такой план действий.

Глава III

ФАНТОМАС ИДЕТ НА ОХОТУ

В четыре часа Команда отчаянных всей гурьбой ввалилась в переднюю Баскаковых.

— Ну, порядок? — Сеня с большим интересом посмотрел на плетеную корзину, которую с двух сторон держали за ручки Иван и Герасим.

46

— Естественно, — кивнула Марго. — Мы своих обещаний не нарушаем.

Из корзины послышался глухой рык. Сеня отшатнулся.

— Эй, вы кого мне принесли?

— Кого надо, того и принесли, — бросил Герасим. — Марго, надо его вытаскивать. Иначе еще запарится.

Девочка, повесив куртку на вешалку для «эскадрона гусар летучих», наклонилась к корзине и вытащила оттуда какое-то существо в красном детском комбинезоне с капюшоном.

— Совсем оборзели! — воскликнул Баск. — На кой мне эта обезьяна?

— Фанечка, нас обижают, — прижала к груди существо в комбинезоне Марго.

Из-под капюшона раздалось хриплое урчание.

— Ну, не злись, не злись. — Марго начала расстегивать комбинезон. — Сейчас мы тебя разденем, ты тут побегаешь.

— Слушай, Марго. — Сеня с опаской смотрел на торчащую из капюшона голую морщинистую морду существа. — Что это у тебя там такое?

— Совсем дурак? — кинула на Баска ехидный взгляд Варя. — Сказано ведь уже тебе: это кот. Кличка Фаня, а полностью — Фантомас.

— Что Фантомас — это точно, — легко согласился Сеня.

Марго уже извлекла из комбинезона серо-розового и совершенно голого морщинистого кота.

— Вот он, наш хороший, — ласково проговорила она. — Наш красавец.

— Насчет красавца, пожалуй, чересчур сильно сказано, — покачал головой Сеня.

— Необычно — еще не значит некрасиво, — возразила Маргарита. — Между прочим, Фаня очень породистый. Он — канадский голый. Выведен специально для тех, кто любит кошек, но страдает аллергией на шерсть.

— Нда-а, — озадаченно протянул Сеня, — с шерстью у него и впрямь не густо.

— Привыкнешь, — хлопнул Баска по плечу Иван. — Я когда первый раз с этим Фаней столкнулся, тоже решил, что он — жертва ядерной войны. А теперь вроде бы и ничего.

Кот посмотрел на Ивана, презрительно чихнул и дрыгнул лапой.

— А почему этот Фаня в трусах? — вдруг спросил Баск.

Ребята только сейчас заметили: голый Фаня облачен в нечто, напоминающее детский подгузник.

— Кошачий памперс, — пояснила Марго. — Фаниной хозяйке, Татьяне Эдуардовне, их присылает из Канады подруга. Когда Татьяна Эдуардовна берет Фаню куда-нибудь с собой, то всегда надевает на него памперсы.

— А на фига? — все сильней изумлялся Сеня.

— Потому что он территорию начинает метить, — пояснила Марго.

— Тебе, Сенечка, это надо? — подхватила Варя.

— Не надо, — в ужасе проговорил Баск. — Пусть лучше в памперсе. Только, — он еще раз критически оглядел необычного кота, — какой-то он как бы ненастоящий. Вы уверены, что у него с мышами нормальный контакт?

— Смотря с чьей точки зрения, — солидно изрек Герасим. — Например, мышам это никогда не покажется нормальным. Потому что Фаня их ловит.

— Точно ловит? — по-прежнему не верилось Баску.

— Я ведь утром тебе уже говорила, — откликнулась Маргарита. — Этим летом Фаня переловил мышей во всем поселке, где они жили с Татьяной Эдуардовной.

— А заодно сильно уменьшил поголовье птиц, — добавила Варя, которая ходила вместе с Марго одалживать кота и слышала хвастливый рассказ Татьяны Эдуардовны о летних подвигах Фанечки.

— Варвар, — с неодобрением произнес Каменное Муму. — Птиц-то зачем? Хотя, — взглядом указал он на тщательно умывающегося Фантомаса, — для него и птицы — просто обыкновенная еда.

— Выходит, он настоящий охотник. — Теперь в Сенином голосе слышалось некоторое уважение. — Никогда бы не подумал.

— Из-за того, что он голый? — спросила Варя.

— Да у него вообще такой вид, — медленно проговорил Баск, — как будто его кормят только на крахмальной скатерти и с серебряной посуды.

— В общем, Сеня, ты недалек от истины, — сказала Марго.

— Но, сколько волка ни корми, он все равно в лес смотрит, — прибег Герасим к народной пословице.

— Верней, не волка, а кота, — вкрадчивым голоском уточнила Варя. — Поэтому, когда милого домашнего Фанечку вывозят на природу, он там отрывается по полной программе.

— Тогда что же мы тут зря стоим! — Баска обуяла жажда деятельности. — Марго, бери это чудище и неси к «Цвайсу».

Марго подхватила кота на руки.

— Слушай, — тихо проговорил Иван. — А мучительница твоя дома?

— Слава богу, уперлась куда-то, — махнул рукой Сеня. — Как раз перед вашим приходом. Сказала, что раньше чем через два часа не вернется.

— Уже неплохо, — одобрил поступок домработницы Луна. — По крайней мере никто нам мешать не будет. И без лишних вопросов обойдемся.

Вся компания прошла через гостиную в столовую. «Карл Цвайс» высился угрюмой молчаливой колонной. Луна, подойдя вплотную, прижался ухом к корпусу из красного дерева.

— Не тикает, — сообщил он.

— Если бы тикал, на фига бы нам сдался кот, — ответил Сеня. — Слушай, Марго, этот ваш Фаня как лучше ищет, когда на руках или когда на полу?

— Естественно, не на руках. — И девочка бережно опустила кота на ковер.

Фантомас дрыгнул лапами, облизнулся, несколько раз хрипло мяукнул. Хвост его нервно задергался.

— Чего это он? — осведомился Баск.

— По-моему, осваивается в незнакомом месте, — предположила Марго.

— Не осваивается, а раздражен, — с видом знатока возразил Муму. — Видали, как хвост дрыгается.

— Может, добычу чует? — охватила надежда Сеню.

— Нет, Сенечка, он на тебя злится, — усмехнулась Варя. — Потому что ты уже несколько раз унизил его канадское достоинство.

— И что, мне теперь перед ним извиняться? — осведомился Баск.

— Думаю, это излишне, — у Марго вздернулись вверх уголки губ. — Но вот мешать Фантомасу не будем. Пошли в гостиную, а он пускай тут акклиматизируется.

— Хорошая мысль, — одобрил Луна. — Кстати, уж если мы будем сидеть в гостиной, Сеня, у тебя в холодильнике больше сарделечек не найдется?

— Не найдется, — твердо произнес Баск. — А даже если бы и нашлись, все равно нельзя.

— Почему? — с разочарованным видом осведомился Луна.

— Потому что этот канадский мутант тут же переключится с мыши на ваши сардельки. К тому же домомучительница уже вчера меня достала своим ворчанием. Весь вечер драила этот камин и ворчала.

— Тогда что же нам делать? — задумался Луна.

— Ждать результатов, — развел руками Герасим.

Ребята посидели немного в гостиной. Потом Варя не выдержала:

— Пойду-ка я посмотрю, как там наше животное. Что-то он подозрительно затих.

Девочка подошла к арке и заглянула в столовую.

— Ребята, — обернулась она к друзьям, — Фантомаса там нет. Он куда-то исчез.

— Ты просто плохо смотришь.

И длинноногий Герасим в два прыжка достиг столовой. Остальные тоже поспешили туда. Кота будто след простыл. Его не оказалось ни на полу, ни на столе, ни на стульях.

— Удрал, — мрачно изрек Герасим.

— Может, за мышью как раз погнался, — предположил Иван. — Она вылезла, побежала, а Фаня — за ней.

— Какая мышь? — возопил Сеня. — Откуда она, по-твоему, могла вылезти?

— Из часов, — невозмутимо продолжал Ваня. — Вернее, из их механизма, который испортился.

— Интересно ты, Ваня, о мышах думаешь, — фыркнула Варя. — По-твоему, она испортила механизм, а потом преспокойно там дожидалась, пока мы приведем Фантомаса?

— Ну, я вообще-то не знаю, — немного смутился Иван.

— Да откуда она здесь могла вылезти? — простер руку к гладко отполированному корпусу часов Сеня. — Тут же ни единой дырочки нету.

Герасим тщательно осмотрел башню из красного дерева, увенчанную застекленным циферблатом «Карла Цвайса».

— Действительно, ни одной дырочки.

— Это спереди и по бокам, — сообразил Иван. — Может, тут они цельные, а сзади дырок полно. Баск, ты когда-нибудь эти часы сзади видел?

— Не видел, — признался Сеня. — Их без меня устанавливали.

— Так, — Луна взялся с одной стороны за корпус. — Ребята, помогите. Осторожненько отодвигаем.

— Осторожненько, — прокряхтел Герасим. — Да эта штука тонну весит.

— Ничего, — улыбнулся Луна. — В таких случаях главное — полная слаженность действий. Если мы дружно приложим усилия, то все сумеем. А ну, навались, ребята.

Все, включая девчонок, дружно атаковали непокорного «Цвайса». Он покачнулся, затем с каким-то недовольным скрипом отъехал от стены.

Луна, едва взглянув на заднюю стенку, разочарованно произнес:

— Зря старались. Тут не только что мышь, тут комар не пролетит.

— Говорил же я вам, — откликнулся Сеня. — Мыши совершенно ни при чем. «Цвайс» из-за чего-то другого испортился.

— Зря только кота таскали, — проворчал Муму. — Надо было сперва к Сеньке прийти, отодвинуть, посмотреть, а после уже думать, нужен нам Фантомас или нет.

— Кстати, о Фантомасе, — перебила Варя. — Если он нам не нужен, то мы хозяйке его вернуть обязаны.

— Вот именно, — охватила тревога Марго, — а для этого Фаню как минимум нужно найти.

— Куда ж он от нас денется, — самоуверенно произнес Герасим и жутким голосом проорал на всю квартиру: — Фаня! Котик! Кыс-кыс-кыс!

— Заткнись! — рявкнула Варя. — Ты его напугаешь.

— Вовсе нет, — обиделся Герасим. — Котов всегда полагается так подзывать. И если они умные, то откликаются.

— Другим тоном, Мумушечка, другим тоном, — ответила Варя. — От твоего рева не только у маленького голого котика, но даже у гиппопотама душа в пятки уйдет.

— Вечно ты ко мне придираешься, — продолжал спорить Каменное Муму. — Я очень спокойно позвал. Разве что четко слова произнес. Должен же Фаня меня услышать.

— Давайте-ка лучше я, — вмешалась Марго и ласковым голосом начала: — Фаня, котик, иди сюда. Кис-кис-кис-кис.

Результат оставался прежним. Фантомас признаков жизни не подавал.

— Придется искать, — наконец растерянно произнесла Маргарита.

— Я тоже не вижу другого выхода, — развел руками Луна.

— Значит, так, — оглядел столовую Муму. — К нам в гостиную Фаня не выходил. Значит, смылся вот сюда. — И мальчик указал на арку за часами.

— Какая разница, в гостиную или сюда, — сказал Сеня. — Он так и эдак в коридор попадает. А через него в любую комнату.

Ребята, наперебой крича: «Фаня, Фаня, кис-кис-кис!» — рассыпались по отнюдь не маленькой квартире Баскаковых. Они заглядывали под кресла, диваны, кровати, на шкафы, под шкафы. Сене даже пришлось переворошить в своей комнате встроенный шкаф. Створка его оказалась приоткрытой, а значит, Фантомас запросто мог проникнуть внутрь и преспокойно там спать. Однако, выкинув наружу последнюю из многочисленных вещей, Баск убедился, что в шкафу кота нет.

— Эй! — крикнул он остальным. — Не нашли?

— Ищем, — ответил за всех Герасим.

Луна, обследовавший коридор, вдруг услышал, как в замке входной двери повернулся ключ. Мальчик стремительно отступил в комнату Баска.

— Мучительница твоя идет.

— Это плохо, — тот пыхтя запихивал как попало вещи в стенной шкаф.

Не успел он это произнести, как Валентина Аркадьевна возникла на пороге.

— Сенечка, у тебя опять гости? — ледяным тоном произнесла она.

— Да, — счел за лучшее быть лаконичным Баск.

— А что это за корзина стоит в передней? — продолжала расспросы домомучительница.

— Здравствуйте, Валентина Аркадьевна! — подоспели из других комнат Герасим, Варя и Маргарита.

— Как поживаете? — кротко осведомилась Варвара и одарила домомучительницу лучезарным взглядом голубых глаз.

— Спасибо, все хорошо, — ответила та сухо. — Сеня, я, кажется, у тебя спросила, что за странная корзинка стоит в передней?

— Кошачья корзинка, — пояснил Муму.

— Кошачья? — Домомучительница явно занервничала. — Вы что, принесли сюда кошку? Кто вам позволил?

— Сеня, — брякнул Муму. — И не только позволил, но даже просил.

— Зачем? — уставилась на Баска домомучительница.

— Мышей ловить, — бодренько произнес Иван. — Сене показалось, что в квартире есть мыши.

— Ему все время что-нибудь кажется! — с еще большим негодованием воскликнула Валентина Аркадьевна. — Как ты мог! — Она гневно взирала на Сеню. — Ты ведь знаешь, как твой папа трясется над всем этим антиквариатом. А если кошка что-нибудь испортит? Мне потом из своего кармана расплачиваться? Да еще шерсть убирать? Мало мне было вчера вашего камина.

— Вы не волнуйтесь, — с кротким видом вступилась Варвара за Баска. — Шерсти не будет. Это очень хороший котик. Совершенно лысый.

— Лысый? — с ужасом всплеснула руками домработница. — У него что, стригущий лишай? — И она почему-то принялась нервно почесывать руку.

— Совсем не лишай, а порода такая, — услужливо объяснил Герасим. — Этот... канадский голый.

— Голый? — брезгливо поморщилась домомучительница.

— Специально для тех, кто любит кошек, но не переносит шерсти, — добавила Варя.

— Вот как с жиру люди бесятся, — обиженно проговорила Валентина Аркадьевна. — В общем, так, — она поджала губы. — Я ухожу к себе. А вас с этим котом чтобы через пять минут даже духа здесь не было.

И она почти бегом устремилась по коридору.

— Интересно, как она себе это представляет? — проводил ее хмурым взглядом Муму. — Если мы за полчаса его не нашли, то и теперь за пять минут не найдем.

Луна хотел уже что-то ответить, но не успел. Квартиру прорезал истошный визг.

— А-а! — вопила домомучительница.

Шестеро друзей вылетели в коридор. Дверь комнаты домработницы распахнулась. Оттуда стремительно вылетел Фантомас с вытаращенными от ужаса глазами. Следом, не переставая визжать, выскочила она сама. Волосы у нее на голове стояли дыбом.

— Фантомас! Держите его! Вот он! — бросился наперерез беглецу Герасим.

Однако кот оказался проворней. Прошмыгнув мимо ног Каменного Муму, он скрылся в гостиной. А в Герасима вцепилась домработница.

— Ой! — взревел Герасим. — Осторожнее! Больно!

— Уберите отсюда эту тварь! — провизжала ему в самое ухо разъяренная Валентина Аркадьевна. — Он мне на голову прыгнул!

Герасим дернулся, и ему удалось освободиться из ее цепких «объятий».

— Сейчас, Валентина Аркадьевна, сейчас, — попыталась успокоить разъяренную женщину Марго.

— Не сейчас, а немедленно! — проорала та.

Ребята, толкая друг друга, ворвались в гостиную. Фантомас как сквозь землю провалился. Друзья снова стали обшаривать комнату. Под столом, под диваном, под стульями...

— Нету, — наконец глухо проговорил Муму.

— Ищем в столовой, — поманил ребят в арку Луна.

Столовая подверглась самому тщательному осмотру. Впрочем, с совершенно нулевым результатом.

— Ох, — схватилась за голову Варвара, когда вся компания возвратилась в гостиную. — Неужели опять по всем комнатам шарить?

— Вот! Вот же он! — ткнул пальцем в сторону камина Иван.

Фантомас и впрямь возлежал в позе сфинкса на мраморной каминной полке и, прищурившись, с таким безмятежным видом поглядывал на ребят, будто совсем не он был виновником переполоха.

— Тише, — строго шепнула Марго. — Иначе спугнем.

— Предоставьте это дело мне, — сказал ближе всех стоявший к камину Герасим и решительно протянул руки к коту.

Кот ощерился, зашипел и медленно попятился.

— Это еще что такое, хотелось бы мне знать? — раздался пронзительный голос домомучительницы.

Ребята обернулись. Валентина Аркадьевна, стоя в дверях гостиной, трясла, словно тореадор, красным покрывалом.

— А что такое? — в полном недоумении осведомился у нее Сеня.

— Этот ваш кот нагадил мне на постель! — Домомучительницу трясло от гнева и возмущения.

— Не наговаривайте на него! — возмутился в свою очередь Герасим. — Этот кот у нас в специальном подгузнике. Именно чтобы нигде не гадить!

— Сам ты в подгузнике! — заорала Валентина Аркадьевна. — Врет и не краснеет.

Муму вмиг покраснел. И в праведном гневе воскликнул:

— Выбирайте, пожалуйста, выражения! А если не верите, глядите сами! Вот он, на полке сидит. В подгуз...

Герасим осекся. Остальных тоже охватило полное замешательство. Только сейчас ребята заметили: никакого подгузника на Фантомасе нет.

— Смотрите, — враз севшим голосом пробормотал Герасим. — Он разделся!

— Хам! — обрушила на Муму новую волну гнева домработница. — Врун! Нахал! И хам! Кто позволил тебе надо мной издеваться? — И, резко повернувшись к Сене, она добавила: — Учти! Я все расскажу отцу! Если ты таким способом решил меня раньше времени выжить отсюда, то ничего у тебя не выйдет. Так и заруби себе на носу: не выйдет.

— Да я... не... — пробовал оправдаться Баск.

— Слушать ничего не желаю! — топнула ногой разъяренная тетка.

Воспользовавшись всеобщим замешательством, Марго попыталась схватить кота. Но Фантомас в последний момент, изящно спрыгнув с камина, ретировался в столовую.

— Хватай, хватай его! — забыв про кипевшую от ярости домомучительницу, кинулись вслед за котом ребята.

Поздно. Фантомас вновь исчез.

— Ну, думаю, началось, — проворчал Герасим.

— Ребята, сделайте что-нибудь, — взмолился Сеня. — Иначе она точно отцу настучит. А папандр, между прочим, кошек терпеть не может.

— Ясно, — кивнула Марго. — Будем искать до победного. Другого выхода у нас все равно нет. Я без Фантомаса вернуться не могу.

Ребята, снова рассыпавшись по квартире, начали обследовать каждый закоулок. Поиски их прервал новый истошный вопль домомучительницы. Все шестеро мигом ворвались в ее комнату.

— Эта тварь... эта тварь, — захлебывалась от избытка эмоций Валентина Аркадьевна. — Он... Он... — И она ткнула пальцем в угол за кроватью.

Едва взглянув туда, ребята увидели беглеца. Фантомас сидел перед разодранной картонной коробочкой и упоенно жевал высыпавшуюся из нее труху.

— Что это он там жрет? — уставился на кота Герасим.

Марго потянула носом воздух, и ей немедленно все сделалось ясно.

— Валериановый корень, — усмехнулась девочка. — Сейчас Фантомас опьянеет.

— Только этого нам не хватало, — в ужасе проговорил Сеня.

— Зато теперь он больше не убежит. — Марго нашла положительную сторону в происшествии.

Фантомас и впрямь убегать не собирался. Во взгляде его появилось что-то маниакальное. И было совершенно ясно: пока в коробочке останется хоть одна крошка зелья, он никуда не уйдет.

Домработница продолжала исторгать нечленораздельные, но грозные вопли. Однако Фантомасу сейчас на все было наплевать. Обладай этот кот даром речи, он вполне мог сейчас, подобно бессмертному Гамлету, воскликнуть: «Матушка, тут есть магнит посильнее!»

— Ребята, — тихо сказала Марго. — Действуем так. Ты, Варвара, принеси его комбинезон. А ты, — повернулась она к Ивану, — тащи корзинку. Я возьму Фантомаса. Кто-нибудь из вас насыплет в его корзинку валерианового корня. Тогда

он не станет сопротивляться. Главная наша задача — натянуть на него комбинезон.

— Вы еще забыли про памперс, — напомнил дотошный Герасим. — Где его памперс?

— Полагаю, без этого он как-нибудь до дома доживет, — отвечала Марго. — Так что, если памперс найдется, — обратилась она к Валентине Аркадьевне, — можете спокойно его выбросить.

— Уж ясное дело, на память не оставлю, — огрызнулась совершенно переставшая контролировать себя женщина. — И вообще, мне теперь из-за этой глисты морщинистой придется снова в аптеку за валериановым корнем идти. Потому что я без него не сплю.

— За корнем я сбегаю. — Сеня решил войти в доверие к домомучительнице. — Ребят провожу и зайду в аптеку.

— Ну разве что так, — и впрямь немного смягчилась она.

Сеня облегченно перевел дух. Кажется, домомучительница несколько успокоилась.

Иван приволок корзинку. Варя вручила Маргарите комбинезон. Кот к этому времени уже изрядно наелся корня. Движения его сделались вялыми и неуверенными. Когда Марго взяла его на руки, он недовольно рыкнул, однако на более решительные действия у него не было сил.

— Кисонька, хороший, — запихивая непослушные лапы кота в комбинезон, приговаривала девочка. — Сейчас оденемся и домой пойдем.

— У-а-а! — простонал в ответ Фантомас.

— Совсем надрался, — осуждающе произнес Герасим.

— Может, это и не так плохо, — задумчиво проговорила Марго. — Иначе мы бы до сей поры за ним по квартире бегали.

И она засунула уже одетого кота в корзину. Тот понюхал воздух, и на физиономии его воцарилось совершенно блаженное выражение. Есть корень он, однако, больше не стал.

— На потом заначил, — усмехнулся Иван.

— Боюсь, Татьяне Эдуардовне состояние Фани не понравится, — покачала головой Варя.

— Да уж, — кивнула Марго. — Больше нам его никогда взаймы не дадут.

— А нам и не надо, — ничуть не расстроился по этому поводу Герасим. — А если бы даже и понадобилось, ни за что больше с ним не связался бы. Бегай потом по всей квартире, ищи его.

Ребята быстро оделись и, вежливо попрощавшись с Валентиной Аркадьевной, двинулись в сторону Ленинградского проспекта, где в доме восемнадцать жили Иван, Марго, Варя и Герасим, а в доме двадцать шесть — Павел. Аптека же, в которую ради перемирия с домомучительницей направлялся Сеня, находилась ровно посредине между этими двумя домами, только на противоположной стороне проспекта.

Впрочем, Сеня отправился вместе с Командой отчаянных не только ради валерианового корня. Куда больше ему хотелось посоветоваться с ребятами, что делать с проклятым «Карлом Цвайсом». Едва Баск завел об этом речь, Герасим буркнул:

— Тут дело ясное, что дело темное.

— Это я как-то и без тебя секу, — с усмешкой покосился на него Сеня.

— А я, между прочим, не часовщик, — огрызнулся Муму. — Откуда мне знать, что случилось с твоим раритетом.

— Герочка, — всплеснула руками Варя. — Ушам своим не верю. Ты, и чего-то не знаешь?

— Между прочим, совершенно не смешно, — с хмурым видом изрек Каменное Муму. — Когда я что-нибудь знаю, то знаю. А когда не знаю, то честно в этом признаюсь.

— Вот и молодец. — Луна поторопился пресечь дальнейшую полемику.

— А с «Цвайсом»-то что нам делать? — простонал Сеня.

— По-моему, есть только два пути, — ответил Павел. — Либо оставь его в покое до приезда своего предка. Либо на свой страх и риск попробуем вскрыть и завести. Кстати, ты ключ не пытался найти?

— Пока не мог, — развел руками Баск. — Сперва мучительница была дома. А когда она сколола, вы пришли.

— Ясно. — Луна поправил съехавшую на глаза вязаную шапочку. — Значит, Баск, придется тебе посвятить поискам сегодняшний вечер.

— Так она же дома, — напомнил Сеня. — Как я буду при ней искать?

— Экий ты недогадливый, Сенечка, — вмешалась Варвара. — Твоя мучительница ведь не будет до самой ночи толочься возле отцовского кабинета. Наверняка она хоть какое-то время телевизор смотрит.

— Какое-то! — воскликнул Баск. — Да она весь вечер его смотрит. Пока спать не ляжет.

— Тем более, — продолжала Варвара. — Она к телевизору, а ты — к папе в кабинет. Откуда ей знать, что тебе там понадобилось.

— Только шума не поднимай, когда будешь искать, — назидательно произнес Муму.

— Без тебя знаю, — отмахнулся Сеня. — Ладно, ребята. Я попробую. Но что мы будем делать, если ключа не окажется?

— Вот когда не окажется, тогда и будем думать, — сказал Луна. — Может, подобрать другой удастся. Кстати, покопаюсь у себя. У меня есть довольно много старинных ключиков. Предок мой в юности собирал. А потом они ко мне перекочевали.

— Может, и впрямь что-нибудь подходящее подберешь? — Сеня с надеждой посмотрел на Павла.

— Ты все-таки сперва поищи, — откликнулся тот.

— Постараюсь, — ответил Сеня.

Они поравнялись с домом восемнадцать.

— Ладно, пока. — Иван, Марго, Варя и Муму стали прощаться с Луной и Баском. — Сейчас вернем Фантомаса хозяйке — и тоже по домам.

— Что-то он как-то у нас подозрительно затих, — склонился к корзине Муму. — Он вообще там живой?

— Сейчас зайдем в подъезд и проверим, — отозвалась Марго.

— А заодно и следы преступления уничтожим, — добавила Варя.

Они зашли в первый подъезд, где жили Иван и Марго. Маргарита открыла корзину.

— Спит, — коротко констатировала девочка. — Знаете что? Я сейчас возьму Фаню на руки, а вы как следует вытряхните остатки корня.

Марго вытащила сонного, отяжелевшего Фантомаса. Он что-то промурчал, но так и не открыл глаза. Иван и Герасим тщательно протрясли корзину.

— Что-то маловато высыпалось, — сказал Муму.

— Наверное, он по дороге доел, — предположила Варя.

— Теперь это уже неважно, — ответила Маргарита. — Главное, чтобы ничего внутри не осталось.

Еще несколько раз тряхнув корзину, ребята вновь водрузили туда кота и поехали в лифте на этаж Марго возвращать кота ближайшей соседке Королевых.

Татьяна Эдуардовна сразу же распахнула дверь.

— Ах, это вы! Как хорошо! А то я уже начала беспокоиться. Как там мой Фанечка?

— Нормально, — первым нашелся Герасим. — Только вы не волнуйтесь. Он очень устал.

— Устал? Почему устал? — еще сильнее встревожилась хозяйка. — Что, там действительно оказалось много мышей?

— Мышей, слава богу, не оказалось, — боясь, как бы Герасим не ляпнул лишнего, спешно проговорила Варя. — Просто ваш Фаня слишком много бегал.

— И даже разделся, — сообщил Каменное Муму.

— Разделся? — с осуждением посмотрела на него Татьяна Эдуардовна. — Неужели мой Фанечка бегал по квартире в теплом уличном комбинезоне? Он ведь мог перегреться.

— Что вы, что вы! — кинув на Герасима свирепый взгляд, воскликнула Марго. — Мы сразу комбинезон сняли. Просто Герасим имеет в виду, что Фаня снял с себя памперс.

— Это мы можем, это мы иногда делаем, — мигом успокоившись, просюсюкала хозяйка кота.

Взяв у ребят корзину, она поставила ее на пуфик возле вешалки и заглянула внутрь.

— Спит мой миленький, спит мой ребеночек. Устал маленький. Сейчас я тебя раздену.

И она принялась стаскивать с Фантомаса комбинезон.

Кот что-то снова лениво промурчал, однако глаза его по-прежнему оставались закрыты. Ребята едва сдерживались от смеха.

— В общем, спасибо, Татьяна Эдуардовна. Мы пойдем, — заторопилась Марго.

— Идите, идите, — хозяйка была полностью поглощена котом.

Ребята выскочили на лестничную площадку.

— Удачно, что она ничего не заметила, — лишь только за ними захлопнулась дверь, прошептал Иван.

— Будем считать, нам повезло, — тоже шепотом откликнулась Варя.

— Ну, я пошла. — Марго направилась к своей квартире.

— До завтра, — не дожидаясь лифта, ребята побежали вниз.

Когда Иван уже собирался ложиться спать, ему позвонила Марго.

— Слушай, нам все-таки не совсем повезло, — давясь от смеха, сообщила она.

— В каком смысле? — не понял мальчик.

— В смысле Фантомаса, — уточнила Маргарита. — От нас только что ушла его хозяйка. Приходила, естественно, жаловаться. Тут такое было!

— То есть? — спросил Иван.

— Фаня сначала долго спал. Татьяна Эдуардовна начала беспокоиться. Потому что котик продрых время кормежки. Ну она его и разбудила. Ох, Ваня, — зашлась от смеха девочка, — лучше бы ей этого не делать. Фаня впал в валериановое буйство и перевернул вверх дном всю квартиру.

— Ничего себе! — изумился Иван.

— Как раз очень даже чего, — возразила Марго. — Он перебил там какой-то крайне любимый фарфор Татьяны Эдуардовны, который достался ей в наследство от двоюродной бабушки. Потом снес с подоконника горшок с помидорами, которые самолично выращивает муж Татьяны Эдуардовны. А горшок, между прочим, в три раза больше Фани и жутко тяжелый. Как он умудрился эту штукенцию перевернуть, ума не приложу. А когда вернулся с работы муж, Фаня прыгнул ему на голову и укусил за ухо. В общем, теперь кота заперли в корзинке, и он там отсыпается. А Татьяна Эдуардовна явилась скандалить к моим предкам.

— И как ты все объяснила? — поинтересовался Иван.

— Сказала правду, — ответила Марго. — Что он нашел валериановый корень и съел его.

— А хозяйка? — мальчик задал новый вопрос.

— Как ни странно, успокоилась, — со смехом отвечала Марго. — Потому что Татьяна Эдуардовна с мужем сперва подумали, что их дорогого Фанечку укусила какая-нибудь бешеная мышь, а мы это от них скрыли. В общем, кота собирались утром везти на обследование, а мужа — привить от бешенства.

— Ясно, — сквозь хохот произнес Иван. — В общем, все хорошо, что хорошо кончается.

— Только я как в воду смотрела, — сказала Марго. — Больше мне Фаню никогда взаймы не дадут.

— Ну, надеюсь, он больше никогда нам и не потребуется, — весело ответил Иван.

Наутро Команда отчаянных до последнего ждала Баска возле подъезда Павла. Но Сеня так и не появился.

— Вот человек, — топая ногами, чтобы согреться, проворчал Герасим. — Ведь точно договорились.

— Может, он перепутал и ждет нас в школе? — предположила Марго.

— Во всяком случае, нам уже давно пора туда, — Луна посмотрел на часы. — Бежим, а то опоздаем.

Команда отчаянных влетела в класс одновременно со звонком на урок. Друзья огляделись. Место Баска было пусто.

— Братцы, — шепнул Герасим. — С ним что-то произошло.

Глава IV

МАСТЕРА ХУДОЖЕСТВЕННОЙ ФОТОГРАФИИ

Всю математику ребята просидели как на иголках. А на перемене кинулись в вестибюль звонить Баску. Там висел телефон-автомат. В квартире Басковых трубку не подняли.

— Странно, — посмотрел на друзей Луна. — Там же должна быть домомучительница.

— Она куда-нибудь ушла, — мрачно произнес Каменное Муму. — А с Сенькой что-то произошло.

— Ну почему обязательно произошло? — посмотрела на него Марго.

— Потому что если человек не является в школу, то или он дома, или... — Герасим на мгновение задумался. — Или неизвестно где. И я полагаю, что с Баском как раз второй случай.

— Боюсь, что так, — поддержал его Иван. — Мы ведь с ним точно договорились встретиться возле подъезда Луны.

— Может, он заболел? — Павел еще сомневался, что все так плохо, как предполагают друзья.

— Заболел, сидел бы дома, — стоял на своем Каменное Муму.

— Так, может, он и сидит, — вмешалась Варвара, — а телефон испортился. У нас однажды так было. В трубке совершенно глухо. А когда нам звонили, то у нас звонков не было и к трубке никто не подходил.

— Вчера ночью у него свет вырубился, часы остановились, — загробным голосом произнес Муму. — А сегодня — телефон. Не слишком ли много совпадений для одного Сени?

— Настолько много, Мумушечка, — фыркнула Варя, — что ты даже стихами заговорил.

— Удивляюсь тебе, Варвара, — Муму охватил обличительный пафос. — Как ты можешь абсолютно надо всем насмехаться? Ситуация-то серьезная.

— А я, Муму дорогой ты наш Каменный, насмехаюсь не над ситуацией, а над тобой, — мигом нашлась девочка.

— Слушай, Луна, — делая вид, что не слышит ее, сказал Герасим. — Набери-ка еще раз номер Баскаковых.

Луна послушно позвонил.

— А теперь занято, — мгновение спустя сообщил он.

— Может, Сенька первый раз просто звонка не услышал? — высказала новую догадку Маргарита.

— Запросто, — согласился с ней Иван. — Когда, например, умываешься или душ принимаешь, кроме шума воды, вообще ничего не слышно.

— Давай, Луна, звони еще раз, — Муму уже совершенно извелся от неизвестности.

Павел в третий раз набрал номер. У Баскаковых по-прежнему было занято.

— Тоже мне, — с осуждением сказал Муму. — Его в школе ждут, а он там треплется.

— Какие мы стали правильные, — просюсюкала Варя.

— Заткнись, — отмахнулся Герасим. — Луна, попробуй опять.

На сей раз телефон освободился, но трубку никто не поднял.

— Ничего не понимаю, — пожал плечами Павел.

— Говорю же, что-то случилось, — принялся убеждать друзей Герасим. — Надо сейчас же идти к Баскаковым.

Остальные задумались. Тревога Муму передалась и им. Однако Павел в конце концов решил не торопиться. Тем более что раздался звонок на урок.

— Пожалуй, мы вот как поступим, — принял решение Луна. — Отсидим вторую математику. А если и после этого Баск не появится, тогда, конечно, надо идти к нему.

— Я бы лично прямо сейчас пошел, — стоял на своем Герасим.

— Слушай, у нас сейчас вторая алгебра, — пытался достучаться до его сознания Павел. — Если мы смоемся, математичка нас явно не поймет. Ну явимся мы к Баску, а он преспокойно сидит себе дома с каким-нибудь насморком. Нет, давайте подождем. А на следующей перемене снова попробуем дозвониться.

— Подчиняюсь мнению большинства, — развел руками Муму.

Второй урок алгебры стал для Команды отчаянных сущим испытанием. Математичка объясняла новую тему, но пятеро друзей совершенно ничего не воспринимали. Мысли их целиком поглощал пропавший Баск. Что с ним могло стрястись? Конечно, может, он и впрямь заболел, но тогда почему не берет трубку? И отчего телефон так долго был занят? Может, в квартиру ворвались грабители? И случайно скинули трубку с аппарата? А возможно, и специально. Но что тогда с Баском? Жив ли он? А если жив, то в каком состоянии?

Воображение пятерых ребят рисовало картины одну ужаснее другой. Причем самая благополучная сцена из всех, которые им представлялись, была такой: Сеня и домомучительница с кляпами во рту привязаны к стульям. Ну можно ли в подобном состоянии воспринимать математику!

Но, как известно, всему приходит конец, и второй урок алгебры не стал исключением из этого правила. Едва наступила перемена, Команда отчаянных, расталкивая одноклассников, кинулась в коридор.

— Скорее, Луна! — проорал ему прямо в ухо Герасим. — Иначе еще кто-нибудь автомат займет.

— И пусть займет. — Павел первым заметил Баска у подоконника.

Ребята подлетели к нему.

— Что случилось?

— Проспал, — с сонным видом откликнулся Сеня. — Даже будильника не услышал.

— А домработница на что! — с возмущением воскликнул Герасим. — Хорошо же она следит за тобой.

— Она за вставанием не следит, — пояснил Баск. — Я обычно сам встаю и завтрак себе готовлю. Мне так гораздо больше нравится. А сегодня Валентина поднялась и обнаружила, что я еще сплю, ну и растолкала. Иначе я, наверное, еще один урок бы проспал.

— Бедный Сенечка, — тряхнула золотистыми кудряшками Варя. — Небось ключики полночи у папы в столе искал, вот и переутомился.

— Не, я вчера рано лег, — внес ясность Баск. — Мне вдруг жутко спать захотелось.

— А ключики? — не отставала Варя.

— Не нашел, — откликнулся Сеня. — У отца в столе нету.

— Неужели твой предок и впрямь их с собой к кенгуру увез? — удивился Иван.

— Выходит, что так, — пожал плечами Баск.

— А часы-то по-прежнему не ходят? — решил на всякий случай уточнить Павел.

— Да, если честно, мне было не до часов, — признался Баск. — Я, как вскочил и увидел, сколько уже натикало, рюкзак в зубы — и в школу. Кстати, я не забыл.

И, раскрыв объемный кожаный рюкзак, Сеня извлек на свет целых три фотоаппарата.

— Неслабо ты подготовился, — хлопнул его по плечу Луна.

— Фирма веников не вяжет, — расправив могучие плечи, пробасил Сеня.

— Я только вот думаю: не многовато ли всего для одной новогодней газеты? — не удержалась от колкости Варя. — С таким арсеналом, Баск, можно целый корреспондентский пункт открыть.

— А по-моему, если уж делать, так хорошо, — на полном серьезе проговорил Сеня. — Или вообще не делать.

— Ой! — раздался за спинами ребят восторженный возглас Наташки Дятловой. — Это, конечно же, для нашей газеты!

— Какая ты, Наташка, у нас догадливая, — сухо бросила Марго.

Однако Наташка не обратила внимания на ее реплику. Она глядела только на Холмского.

— Ваня, это твои аппараты?

— Представь себе, нет. — Марго поторопилась внести ясность. — Это все Баска.

— А-а, — заметно поскучнела Наташка. — Значит, мы сегодня после уроков останемся?

— Останемся, останемся, — скороговоркой заверила Варя. «Господи, когда же ты, Дятлова, наконец уйдешь», — про себя добавила она.

Однако Наташка уходить не собиралась. Она с заговорщицким видом сказала:

— Весь вопрос, где мы останемся.

— Разумеется, в классе, — буркнул Герасим, которому не терпелось выяснить еще что-нибудь у Баскакова.

— Вот и очень глупо, — с победоносным видом продолжала Дятлова. — Чтобы остаться в классе, придется рассказать все Ольге Борисовне. И еще кто-нибудь из наших наверняка подглядит, что мы делаем. Какой же тогда сюрприз?

— А ведь правильно, — к полной неожиданности для Команды отчаянных, поддержал Дятлову Баск. — Если в классе, наш сюрприз ёкнется. И оставлять там газету нельзя. Обязательно кто-нибудь в шкаф сунется. А таскать по улице, когда такая погода, еще хуже. Потому что все размокнет и потечет.

— Ладно. Тогда давайте после уроков у меня, — приняла решение Маргарита. — Тем более мне все равно бы пришлось после уроков бежать за ватманом. Я его с собой не захватила. И стол у меня большой есть.

— Замечательно, — обрадовалась Наташка. — А с этим что будем делать? — И она кинула любопытный взгляд на Сенины фотоаппараты.

— Сенька с Иваном будут снимать, — ответил Герасим.

— А можно я тоже? — вмиг оживилась Дятлова.

— Нет, Наташка, нельзя, — отрезала Маргарита. — Понимаешь, тогда снимающих окажется слишком много. И мы привлечем к себе внимание. А замысел как раз в том и заключается, чтобы снимать людей незаметно.

По виду Наташки всем сделалось ясно: ответ Марго совсем ей не понравился. Однако и возразить она ничего не смогла.

— Значит, после уроков идем к тебе, Марго? — еще раз переспросила она.

Маргарита кивнула:

— Тогда до скорого!

И, кинув еще один кокетливый взгляд на Ивана, Дятлова унеслась в другой конец коридора.

— Уф-ф! — с облегчением выдохнула Марго.

— Сама придумала, вот теперь и отдувайся, — назидательно произнес Герасим.

— Да чего вы, ребята, — широко улыбнулся Сеня. — По-моему, отличная мысль. Вот, смотрите, — он указал на фотоаппараты. — Это просто «мыльница». Это «Полароид» для моментальных снимков. А это отцовский, — ткнул он пальцем в третью камеру. — Папандр у меня тоже фотографией увлекается. И купил себе аппарат с наворотами.

— Какие же тут навороты? — мигом заинтересовался Муму.

— Разные, — продолжал Сеня. — Например, им даже ночью можно снимать. Но самое для нас главное — боковой видоискатель.

— Какой еще боковой? — не дошло до Муму.

— Ну, ты вроде стоишь и направляешь аппарат совсем не на человека, которого хочешь снять, а в другую сторону. Тот, естественно, ничего не подозревает. А ты его боковым видоискателем засек, щелк — и готово. Таким образом получаются самые естественные и непосредственные снимки.

— Класс! — загорелся Иван. — Мы, Сенька, с тобой этой штукой так всех заснимем!

— Для того и принес, — с важностью кивнул Баск.

— Слушай, Сенька, спрячь все это пока по-быстрому в сумку, — распорядился Луна. — Если мы хотим делать тайные фотографии, не надо раньше времени привлекать внимание.

— И впрямь, — растерялся Сеня. — Вон Наташка уже видела.

— Насчет ее как раз можешь не беспокоиться, — заверила Варя. — Наташка будет молчать как партизан.

— Тогда порядок. — Баскаков запихнул один за другим аппараты в рюкзак. — Больше, по-моему, никто пока не заметил. А когда начнем?

— Думаю, лучше всего на двух следующих переменах, — отозвался Павел. — Они обе большие. Времени полно. И в столовую можем с аппаратами наведаться. Там почти всегда можно увидеть что-нибудь интересное.

— А я думал, прямо сейчас. — Баска обуяла жажда деятельности.

— Бесполезно, — сверился с часами Иван.

Не успел он это произнести, как трели звонка призвали ребят на следующий урок.

В самом начале первой большой перемены Сеня вручил Ивану «мыльницу»:

— Только учти: зря пленку не трать. Нам для газеты нужны только интересные ситуации.

— Что значит интересные? — решил уточнить Иван.

— Ваня, я тебя не узнаю! — воскликнула Варвара. — Интересные — значит смешные. Ну, например, если кто-нибудь куда-нибудь упадет.

— Это смотря как упасть, — вмешался Сеня. — Иногда получается совсем не смешно.

— Ну я же не имела в виду летальный исход, — уточнила свою позицию Варя. — В общем, сами разберетесь по ходу дела. Но суть, Ваня, в том, что нам совершенно не нужны обыкновенные фотографии.

— Теперь ясно, — проверяя, работает ли у «мыльницы» вспышка, ответил Иван.

— Раз ясно, тогда полный вперед. — Баскаков ощущал себя сейчас самым главным. — Ты направо, а я налево.

Мальчики пошли каждый в свою сторону. Однако, пробродив по школе почти всю перемену, и тот и другой вернулись к друзьям ни с чем.

— Ну прямо как нарочно, — жаловался Баск. — То ли чувствуют, то ли по закону подлости. Понимаете, никто ровным счетом ничего интересного не делает.

— Это точно, — вздохнул Иван. — Боюсь, нам хороших снимков быстро не сделать.

— Как не сделать? — заело Сеню. — Надо, значит, получится.

— Боюсь, не получится, — покачал головой Иван.

— Просто вы не умеете, — высокомерно изрек Каменное Муму. — Ситуации нужно организовывать.

— Муму, ты гений, — азартно блеснули глаза у Павла. — В таком деле и впрямь не обойтись без разделения труда. А так как Иван и Баск у нас фотографы, то мы, остальные, должны организо-

вать им нужные ситуации. Чем и займемся вплотную на следующей перемене.

— Тогда надо сперва разработать тактику, — посоветовала Марго.

— Именно этим я и предлагаю заняться на ближайшем уроке, — заговорщицки подмигнул друзьям Луна. — Пусть каждый думает.

Всю историю ребята провели в напряженных размышлениях. Каждый из шестерых пытался сочинить сценарий по-настоящему интересного снимка. Бумажки со сценариями стекались к Луне, который, как и обычно в Команде отчаянных, взял на себя роль мозгового центра. Едва началась перемена, Луна собрал друзей на оперативное совещание.

— В общем, мне сценарии понравились, — скороговоркой произнес Павел. — Только большинство из них очень трудно осуществить.

— Например? — Муму немедленно ринулся в атаку.

— Взять хотя бы сценарий Баска, — улыбнулся Луна. — Вроде все просто. Пойти в буфет и подкинуть кому-нибудь в чашку огромного таракана. Ну а когда тот узреет в своем чае эту гадость, заснять его физиономию.

— Класс! — Иван был в полном восторге.

— Нормальный ход, — подхватил Муму. — Не понимаю, Луна, какие ты тут видишь проблемы?

— Элементарные, Ватсон, — ничуть не смутился Павел. — Весь вопрос в таракане. Где мы с вами его сейчас возьмем?

— Вот. — И, порывшись в кармане, Баск извлек на свет громадного черного резинового таракана.

— Фу, — поморщилась Марго.

— Вот именно. — Сеню очень обрадовала ее реакция. — Ты, Марго, морщишься, хотя знаешь, что эта штука ненастоящая. А прикинь себя в ситуации, если ничего не знаешь, а он у тебя в стакане или в чашке.

— Прекрати! — передернуло Варю. — Иначе меня сейчас стошнит.

— Варвара, владей собой и укрепляй волю. — Луна с увлечением разглядывал замечательного таракана. — Сенька, беру свои слова обратно. Отличный план. Может, с него и начнем?

— Ну, — кивнул Сеня. — Дуем в буфет.

— А кому подкидывать будем? — поинтересовался Иван.

— Полагаю, — ответил Луна, — тут лучший способ — импровизация. Только, Баск, предупреждаю заранее: тараканом, скорей всего, придется пожертвовать. Вряд ли его потом нам вернут.

— Это ежу понятно, — совсем не расстроился Баск. — Но у меня еще есть. Я их сразу несколько приобрел.

Ребята двинулись по направлению к столовой.

— По-моему, лучшая кандидатура — Вовочка Яковлев, — сказала Варя.

— Типично женская логика, — возразил Каменное Муму. — Вовка и без нашего таракана всего боится. Какой смысл его пугать? Нет, братцы, надо выбрать кого-то обычно невозмутимого. Вот тогда снимок классный выйдет.

— Э-эх, — Баск с большим сожалением поглядел на Луну. — Вот если бы тебе, Пашка, таракана не показывать, а просто подкинуть.

— Спасибочки тебе большое, — откликнулся Павел.

Ребята достигли двери столовой.

— Обсуждать бесполезно, — решительно произнес Луна. — Действуем по наитию.

— Слушай, Баск, — сказала Варя. — Погаси огонь в глазах. Иначе каждому станет ясно, что ты затеваешь недоброе.

— И впрямь, — поддержала подругу Марго. — Делаем вид, будто примерные мальчики и девочки просто пришли покушать.

Сеня проверил на всякий случай аппарат с боковым видоискателем. Иван тоже схватился за висевшую у него на шее «мыльницу».

— Так, Ванька, — начал распоряжаться Баск. — Ты будешь на подхвате. Как что-то выйдет, щелкай из любого положения, сколько получится.

Иван молча кивнул.

— Ну, вперед.

И Луна первым шагнул в гудевшую сотнями голосов столовую. Ребята принялись озираться.

— Кого будем снимать, ребят или учителей? — осведомился Сеня у Луны. — Если ребят, то нужны из нашего класса. А наши только вон в том углу сидят, — указал взглядом Баск на шестерых одноклассников. — Туда не подберешься, чтоб таракана незаметно подкинуть.

— Тогда давай учителей, — легко согласился Луна.

— А кого? — задал новый вопрос Сеня.

— Ой, — прошептала Варя, — я знаю кого. Видите?

Остановившись возле одного из пустых столиков, учительница английского, Лариса Михайловна, которую за неуемную страсть все вынюхивать и разносить сплетни ребята прозвали Следствие Ведут Колобки, снимала с подноса еду.

— Сейчас она наверняка пойдет за вилкой, ножом и ложкой, — заговорщицким шепотом продолжала Варя. — В это время и надо подбросить.

— Ты что? — ужаснулся Муму. — С Колобками связываться?

— Трус ты, Каменный, — с презрением процедила сквозь зубы девочка. — Ладно уж. Сама справлюсь.

Прежде чем кто-то успел возразить, Варвара выхватила у Баска из рук таракана и, лавируя между столиками, направилась к месту будущего преступления.

— Ох, — с ужасом выдохнул Герасим, — сейчас она Варьку сцапает. У Колобков интуиция на всякие пакости зверская.

— Не каркай, Муму, — шикнула на него Марго.

Ребята молча следили за дерзкой лазутчицей. Впрочем, она сейчас была абсолютно в своей стихии. Недаром Герасим говорил про Варвару: «Это

она с виду ангел, а на самом деле — сущий варвар».

Девочка целеустремленно пробиралась между столиками. Можно было подумать, что ее не интересует ничего, кроме прилавка, возле которого скопилась очередь. Даже не замедлив шага возле столика Колобков, она едва уловимым движением бросила таракана в стакан с какао и прошествовала дальше. Остановившись возле прилавка, Варя хорошо разыграла досаду: мол, очередь большая, никого из знакомых не видно. Затем, сделав вид, что стоять не хочет, направилась к ребятам.

Те, впрочем, уже не обращали на нее внимания. Взгляды всех пятерых теперь были прикованы к Ларисе Михайловне, которая, вооружившись вилкой, ножом и ложкой, направлялась к собственному столу. На полпути она несколько замешкалась, чтобы спросить о чем-то другую англичанку.

— И чего встала? — недовольно буркнул Муму. — Только время тянет.

— Ну ты, Мумушечка, даешь, — Варя как раз в это время подошла к друзьям. — Бедным Колобкам сейчас предстоит такое!..

Лариса Михайловна, кивнув второй англичанке, продолжила путь.

— Так, Ванька, — зашептал Сеня. — Занимаем исходные позиции. А ты, Луна, — повернулся он к Павлу, — делай вид, будто мы тебя снимаем. Тогда Колобки в жизни не просечет, что я словил ее боковым видоискателем.

Луна начал пятиться назад. Сеня прикинулся, будто руководит им.

— Дальше, Пашка! Еще дальше! Иначе в рамочку не впишешься, — держа в объективе Колобков, распоряжался он.

Павел послушно пятился. Англичанка опустилась на стул и придвинула к себе тарелку с супом.

— Ах я, дура, — следя за каждым ее движением, принялась сетовать Варя. — Надо было ей эту штуку в суп бросить или во второе. Это мальчишки совершенно сбили меня с толку своим стаканом. Жди теперь, пока она за какао примется.

Лариса Михайловна, задумчиво проглотив несколько ложек супа, с рассеянным видом потянулась к стакану.

— Сенька, — сочли своим долгом напомнить девочки, — внимание.

Баск отмахнулся. Он сам прекрасно контролировал ситуацию. И для пущего правдоподобия продолжал вопить на всю столовую:

— Пашка, теперь чуть левее! И немного правее! Молодец! Еще чуть назад!

Впрочем, последнюю из его команд никому было услышать не суждено. Ее заглушил истошный визг англичанки. Тучная Лариса Михайловна, словно бы вся состоявшая из разной величины мячиков или, что более соответствовало ее прозвищу, колобков, взвилась на ноги и резко отшвырнула от себя стол со всем, что на нем находилось.

Стол опрокинулся. Вверх взметнулась волна разноцветных брызг и щедрым дождем обрушилась на сидящих поблизости.

Луна, усиленно изображавший, будто позирует Сене, резко обернулся на истошный крик англичанки. К несчастью, именно в этот момент за спиной Павла оказался завуч «Пирамиды» Афанасий Иванович Майборода, прозванный за внушительный рост и пышные казацкие усы Тарасом Бульбой. Надо заметить, что Афанасий Иванович любил обедать основательно или, пользуясь его собственным выражением, «по полной программе». А потому поднос, с которым завуч сейчас пробирался к столику биологички Моны Семеновны Травкиной, был нагружен до предела возможностей.

Столкновение Луны и Тараса Бульбы оказалось не менее красочным и впечатляющим, чем предыдущая сцена. Ибо волна «обеда по полной программе» была куда более обильной и содержательной, нежели та, которая поднялась от скромной трапезы Колобков.

С трудом удержав равновесие, Тарас Бульба ошалело уставился на вмиг опустевший поднос.

— Из-звините, п-пожалуйста, — заикаясь, пролепетал Павел, одновременно думая: «Неужели эти дураки не успели заснять такую классную сцену?»

— Лунин? — Майборода наконец перевел взгляд с подноса на мальчика. — Ты это чего?

— Я случайно, — откликнулся Павел. — Понимаете, не заметил.

— А-а! — не умолкая, вопила англичанка. — Таракан! Таракан!

Вокруг нее быстро собралась толпа.

— Афанасий Иванович! — Павел счел за лучшее переключить внимание завуча. — Смотрите! Там с Ларисой Михайловной вроде что-то случилось.

Тарас Бульба, едва глянув на бьющуюся в истерике англичанку, бросился к ней.

— Лариса Михайловна! — он участливо взял ее под руку. — Что происходит?

— Та... та... та... Таракан! — Та уже совершенно зашлась в крике. — А... а...фриканский.

— Откуда вы знаете, что он африканский? — подергал себя за ус Афанасий Иванович. — Разве он паспорт вам предъявлял?

— Он... он... — захлебывалась англичанка. — Огромный! Вот такой! — И она развела ладони сантиметров на двадцать.

Афанасий Иванович, крякнув, сочувственно покачал головой. Было видно, что он явно ей не верит. То есть присутствие таракана в столовой его не особенно удивило. Но таких размеров! И, решив, что у Колобков просто нервный срыв, Тарас Бульба ласковым голосом пробасил:

— И где же вы это чудище заморское углядели?

— В ста... ста... стакане, — стуча зубами, откликнулась англичанка, которую к этому моменту общими усилиями усадили на стул.

«В стакан такой не поместится, — мигом отметил про себя завуч «Пирамиды». — Точно, у Ларисы Михайловны нервный срыв. Но дыма без огня не бывает. Какой-то таракан, наверное, здесь присутствовал. Хорошо, что скоро зимние кани-

кулы. Надо на пищеблоке протравку организовать».

Лариса Михайловна мало-помалу успокаивалась. А самые наивные из присутствующих деятельно искали необыкновенного таракана. Страшное насекомое, однако, не обнаружилось. В конце концов все решили, что таракан от купания в горячем какао Колобков не погиб, а потому сумел, благодаря общей суматохе, сбежать.

Только Варя и Марго знали правду. Едва англичанка перевернула столик, девочки очутились на месте происшествия. И так как все в этот момент были заняты англичанкой, Варя успела спасти резиновое чудовище.

— Возьми, — протянула она таракана Баску, когда шестеро друзей отошли на безопасное расстояние от столовой.

— Смотри-ка, не пропал! — хохотнул Сеня. — А я-то не мог врубиться, куда эта штука делась.

— Сама, естественно, никуда, — фыркнула Варя.

— Ты хоть Тараса-то снять успел? — осведомился Луна у Баска.

— Не, — отозвался тот. — У меня аппарат в непрерывном режиме работал, и я одну Ларису снимал. Зато почти кинофильм получился.

— Жаль, с Тарасом не вышло, — расстроился Павел. — У него такая физия была, когда весь обед вдруг улетучился.

— Не бойся, — улыбнулся Иван. — Тараса я засек. К счастью, как раз на него аппарат нацелил, когда все случилось.

— Ну, Холмский, — Луна хлопнул его по плечу. — Недаром все-таки я тебя зову Пуаро.

— Погоди радоваться, — вмешался Муму. — Пусть сперва проявить отдадут. Тогда и посмотрим, что у них вышло.

— И посмотрите, — ничуть не сомневался в успехе Сеня. — Я после уроков по-быстрому сбегаю и отдам обе пленки в срочную проявку. А к тому времени, как у Марго соберемся, уже получу снимки.

— Теперь хорошо бы еще из нашего класса кого-нибудь запечатлеть, — сказал Луна.

— Попытаемся, — ответил Баск.

— Может, во время урока что-нибудь подходящее выйдет, — мечтательно произнес Муму.

— Смотря для кого подходящее, — не слишком воодушевился Баск. — Начнешь на уроке щелкать, тебя же и выставят.

— И фотоаппарат отберут, — добавил Иван.

— Тогда что же вы предлагаете? — Муму выжидающе смотрел на друзей.

— Может, снова подстроим какую-нибудь ситуацию? — спросил Сеня.

— Я бы больше не искушала судьбу, — возразила Марго.

— В каком смысле? — не дошло до Баска.

— А тебе самому не кажется, что ситуация в столовой несколько вышла из-под нашего контроля? — продолжала Маргарита.

— Не понял, — помотал головой Баск. — По-моему, как раз все вышло отлично.

— И вообще, кто мог знать, что Колобки так бурно отреагирует на какого-то паршивого и совершенно ненастоящего таракана, — привел веский довод Муму.

— Никто, — признала его правоту Маргарита. — Но именно это я и имею в виду. Хорошо еще, все обошлось без физических травм.

— Чего нельзя сказать о моральных, — усмехнулась Варя. — Она явно не скоро теперь придет в себя.

— Не скоро, — согласился Сеня.

— К тому и веду, — продолжала Марго. — Вы, конечно, как хотите, но я бы сегодня больше не подстраивала никаких ситуаций.

Остальные задумались.

— Тогда попробуем подловить интересные ракурсы, — первым нарушил молчание Баск.

— И один, между прочим, я уже вижу, — тихонько захихикала Варя.

— Где? — разом гаркнули Баск и Ваня.

— Тихо, — прижала палец к губам Варвара. — Спугнете объект. Вон. У окна.

Остальные повернулись. Там, куда указывала Варя, стоял Вова Яковлев и, глядя в окно, задумчиво ковырял пальцем в носу.

Сеня и Иван разом щелкнули фотоаппаратами. На «мыльнице» Ивана сработала автоматическая вспышка. Вова вздрогнул и, не вынимая пальца из носа, с разинутым ртом уставился на ребят. Баск успел сделать еще несколько снимков.

Лицо Яковлева исказила горестная гримаса, и он со всех ног кинулся прочь.

— По-моему, у нас выходит какое-то «ни шага без чужих моральных травм», — с досадой проговорил Герасим.

— Что делать, мой друг, — хлопнул его по плечу Луна. — Искусство требует жертв.

— Зато как выразительно, — сказала Варя.

— Яковлев — это, конечно, хорошо, — задумчиво произнес Сеня, — но только как гарнир к чему-нибудь пооснова́тельней.

— Значит, будем искать, — кивнул Луна.

Глава V

«КАРЛ ЦВАЙС», ГАЗЕТА И ПОПУГАЙ

Едва переступив порог квартиры Марго, Сеня воскликнул:

— Слушайте, братцы! Такие классные снимки вышли.

— Покажи! — тут же выскочила в коридор уже полностью собравшаяся Команда отчаянных.

Наташке нарочно сказали, чтобы она пришла на полчаса позже всех. Таким образом, до ее появления друзья могли спокойно обсудить все, что не предназначалось для посторонних ушей.

Баск вручил ребятам толстый конверт с отпечатанными снимками. Общими стараниями Ивана и Сени получилась и впрямь впечатляющая

фотоэпопея, подлинными героями которой были Тарас Бульба и Колобки. Впрочем, окружающие, которым досталось, если так можно выразиться, от щедрот двух обедов, выглядели весьма выразительно.

— Класс! — воскликнул Луна.

— Надо бы придумать для всего этого специальную рубрику. — Варя не могла оторваться от снимков. — И снабдить краткими комментариями.

— По-моему, комментарии тут совершенно излишни, — возразила Марго.

— Может, ты и права, — не настаивала на своем подруга.

— Кстати, — Каменное Муму выбрал из кипы фотографий несколько снимков Вовы. — По-моему, Яковлев тоже получился очень симпатично.

Остальные полностью с ним согласились.

— Нам бы еще пару сюжетов, — мечтательно произнес Луна, — и хоть один из них с новогодним уклоном. Тогда, считайте, с изобразительным материалом мы справимся.

— Вообще-то у меня есть еще несколько снимков, — с каким-то застенчивым видом полез в карман Баск.

— И ты до сих пор молчал! — простер к нему руку Герасим. — Давай показывай!

— Правда, я не знаю, понравится это вам или нет. — Сеня не торопился доставать фотографии.

— Что, качество неважное? — поинтересовался Иван.

— Да нет. С качеством вроде порядок. — И Сеня положил на стол четыре карточки.

— Ах ты, гад! — едва глянув на них, возмутилась Варя. — Тебя что, просили? И вообще, когда ты успел?

— Значит, не заметила. — Баск остался очень доволен ее реакцией.

— А мне, например, нравится! — с хохотом разглядывал фотографии Каменное Муму. — Варька тут как живая.

Варя на Сениных снимках упоенно зевала.

— Никогда, Варька, не думал, что ты можешь так широко разевать рот, — разделял Луна восхищение Герасима. — Прямо гиппопотам какой-то.

— Просто мне на последнем уроке спать хотелось, — с обидой проговорила девочка. — И, между прочим, я совершенно никого не просила меня в это время снимать.

— Варька, я тебя не узнаю, — улыбнулся Луна. — Где твое чувство юмора?

— Она все его без остатка посвящает другим, — с обличительным пафосом изрек Муму. — Поэтому на себя и не остается.

— Не переваливайте с больной головы на здоровую. — Варя уже успела взять себя в руки. — Я, между прочим, шучу. А вы всерьез. На самом деле отличные фотки, Баск. Пусть будут в газете. А с новогодней тематикой предлагаю забацать снимок Муму.

— Почему именно мой? — Герасима застало врасплох ее предложение.

93

— Мумушечка, — с мстительным видом отозвалась Варя. — Дорогое ты наше, Каменное. А где твое чувство юмора? Тоже все без остатка людям отдал?

— Мое на месте. — Герасиму некуда было деваться.

— Тогда в чем дело? — продолжала Варя. — Ты замечательно бы смонтировался с костюмом Деда Мороза.

— Я-а? — У Герасима вытянулось лицо.

Остальные, едва представив себе тощего длинного Муму в костюме Деда Мороза, зашлись от хохота.

— Между прочим, великолепная мысль, — сквозь смех проговорил Иван. — И снимок классный получится, и никаких трудностей в организации. Ты, Герка, как-никак свой.

— Я-то свой, — буркнул Герасим, — а у вас фантазия плохо работает. Я, например, гораздо лучше придумал. Черт с вами. Я буду Дедом Морозом и якобы появлюсь из камина Баска. Но только вы будете сидеть вокруг и с глупыми рожами изображать радость.

— Вот это Муму! — воскликнула Марго. — Слушайте, я считаю, что сюжет найден.

Остальные кивнули. Замысел Герасима всем пришелся по душе.

— Кстати, о камине. Что там, Сенька, с твоим «Цвайсом»? — вдруг вспомнил Луна.

— Ой, да я как раз хотел вам сказать, — резко помрачнел Баск. — С «Цвайсом» снова какие-то странности.

— Неужели самостоятельно пошел? — удивился Иван.

— В общем-то, можно даже сказать, что пошел, — ответил Баск. — Только не механизм, а он сам.

— Че-его? — уставились на него ребята.

— Что слышали, — с сумрачным видом продолжал Сеня. — Я, как обедать домой приперся, сразу к «Цвайсу». Думаю: «Чем черт не шутит. Вдруг пошли?» Нет, вижу, стрелки стоят на том же самом месте. И внутри ничего не тикает. И тут я заметил, что «Цвайс» передвинулся.

— Нашел чем удивить, — с разочарованным видом отмахнулся Муму. — Мы же его сами двигали, когда мышиную дырку пытались найти.

— Это я помню, — ничуть не успокоился Сеня. — Но я специально потом проследил, чтобы «Цвайса» вернули ровно на то же место. Боялся, как бы предок потом не просек.

— Никто никогда точно не может определить место, где стояла вещь до того, как ее двигали. — Каменное Муму явно приготовился к длительной полемике.

— Ты, может, не знаешь, а я знаю, — отрезал Сеня. — «Цвайс» стоит на ковре, и ворс от ножек примялся. Вот ровно на это место мы с вами тогда часы и воткнули. А сегодня я смотрю — «Цвайс» сдвинулся. Как минимум сантиметров на пять.

— Не пойму, Баск, отчего ты так волнуешься? — пожала плечами Варвара. — Наверное, мучительница убирала квартиру, пока ты был в школе, вот «Цвайса» чуть-чуть и подвинула.

— Подвинула! — покрутил пальцем возле виска Баск. — Разве ты не понимаешь? Этот «Цвайс» жутко тяжелый. Мы тогда все вместе едва с ним справились.

— Верно, — кивнул Луна. — Домомучительнице в одиночку «Цвайса» не сдвинуть.

— Погодите, — вмешалась Марго. — Но тогда, выходит, «Цвайс» действительно сам ходить научился?

— Верней, учится, — усмехнулась Варя. — Сегодня на несколько сантиметров, а завтра, глядишь, по всей квартире начнет разгуливать.

— Тебе хорошо смеяться, — не разделил ее веселья Баск. — А я как позавчерашнюю ночь вспомню, так в дрожь бросает. Да еще это... белое, которое из часов вышло.

— Ты раньше не говорил, что оно именно из часов вышло, — немедленно принялся спорить Герасим.

— Ну ни фига себе! — проорал Баск. — Я вам об этом вчера все уши прожужжал.

И тут позвонили в дверь.

— Наташка, — выдохнула Марго.

— И, как всегда, не вовремя, — подхватила Варя.

— Да уж, — отозвались остальные.

Всем было ясно: разговор о таинственном «Цвайсе» придется отложить до ухода Дятловой.

Марго вышла в коридор, чтобы открыть, но ее опередила бабушка Ариадна Оттобальдовна. А бабушку, в свою очередь, опередил огромный попугай Королевых по кличке Птичка Божья. Едва Ариадна Оттобальдовна отворила дверь своей комнаты, как Птичка Божья стремглав вырвался на свободу.

— Бабушка! — воскликнула Марго. — Ну зачем ты выпустила его? Ты же знаешь: у меня сегодня много народу. И неизвестно, как Птичка на незнакомых людей среагирует.

— Спокойно, Маргоша, — улыбнулась Ариадна Оттобальдовна. — Если Птичке кто-нибудь не понравится, я его заберу к себе. А так пускай погуляет на свободе.

— Свободу нар-роду! — нетерпеливо переминаясь возле входной двери, просипел попугай.

Птичка Божья был говорящим попугаем. Он обладал огромным запасом слов, который неустанно пополнял, смотря вместе с бабушкой Марго самые разнообразные передачи по телевизору. Богатым своим лексиконом Птичка Божья, как правило, пользовался крайне удачно и к месту. Из чего Ариадна Оттобальдовна делала вывод, что ее любимец все понимает. Впрочем, и остальные члены семьи Королевых были с нею согласны. Да и Команда отчаянных — тоже. Не исключая Каменного Муму, у которого с попугаем Марго сложились очень напряженные отношения. По мнению Ариадны Оттобальдовны, верящей в переселение душ, Герасим в прошлой жизни был попугаем и у них с Птичкой Божьей произошел какой-то конфликт. Затем попугай Герасим погиб во цвете лет, а Птичка Божья продолжал здравствовать. И вот, узнав заклятого врага в человеческом воплощении, не мог простить ему старых обид.

Вполне вероятно, причина крылась в чем-то другом. Однако факт остался фактом: с момента появления в доме Королевых попугай воспылал стойкой и неистребимой ненавистью к Каменному Муму, хотя к другим членам Команды отчаянных относился вполне лояльно и даже дружески.

Марго отворила дверь Наташке. Попугай, вывернув голову, покосился на Дятлову одним глазом, затем начал расхаживать вокруг и при этом озадаченно приговаривал:

— Стр-ранно, стр-ранно.

— Ой, какой! — воскликнула Дятлова. — Это, Марго, и есть ваша Птичка Божья?

— Птичка Божья — хор-рошая птичка! — гордо выпятил грудь попугай.

Наташка потянулась к нему, однако попугай угрожающе щелкнул в воздухе клювом. Девочка отпрянула.

— Р-руки пр-рочь от тр-рудового нар-рода! — грозно прорычал попугай.

Герасим, который тоже стоял в коридоре, с довольным видом хихикнул. Впервые попугай ополчился не на него, а на кого-то другого. И Каменное Муму это радовало.

— Ой! — взвизгнула Дятлова. — Он что же, кусается?

— Ты, главное, не трогай его, — посоветовала Маргарита. — Тогда и он тебе ничего не сделает.

— Воор-ружен и очень опас-сен, — вновь гордо выпятил грудь попугай и, залихватски свистнув, великолепно изобразил рев автомобильной погони из какого-то боевика.

— Маргоша! — Дятлова осталась в полном восторге. — Он что же, у тебя все понимает?

— Р-резонный вопр-рос! — заявил Птичка Божья и сардонически расхохотался голосом Ариадны Оттобальдовны.

— И впря-ямь, — умилилась Дятлова.

Забыв о предупреждении Маргариты, она вновь потянулась к Птичке Божьей.

— Ах ты, ла-апочка.

Птичка, гавкнув по-собачьи, решительно отверг всякие нежности.

— Втор-рое пр-редупр-реждение.

— Ну, забрать его? — посмотрела на ребят Ариадна Оттобальдовна.

— Не надо! — взмолился Баск. Подобно Наташке, он сегодня впервые был дома у Марго. И попугай ему очень понравился.

— Пусть с нами побудет, — подхватила Дятлова.

— Как скажете, — совсем как у внучки, чуть вздернулись вверх уголки губ у Ариадны Оттобальдовны. — Ладно, если он вам надоест, кликните меня.

И бабушка удалилась.

— Пор-работаем, пор-работаем, — заявил попугай и с видом победителя первым направился в гостиную. Проходя мимо Герасима, он чуть замедлил шаг и задиристо произнес: — Я — ор-рел! Гер-расим — трус!

— Шуруй дальше, котлета по-киевски, — обиженно буркнул Муму.

Сеня расхохотался:

— Ну, попугай приколист!

— Сволочь он, а не приколист, — на полном серьезе произнес Муму. — Ты, Баск, рано радуешься. Между прочим, эта крылатая тварь кусается. Вот сейчас сядешь, а он подкрадется и за ногу тебя хватит.

— Гр-рязная пр-ровокация, — с возмущением прохрипел попугай.

Все, кроме Герасима, расхохотались. Муму, возмущенно глядя на Птичку Божью, воскликнул:

— Говоришь, провокация? А кто меня, интересно, в прошлый раз своим чертовым носом по башке долбанул?

Попугай, сделав вид, что Герасима не только не видит, но и не слышит, повернулся к Наташке и явно начал кокетничать с ней.

Сеня изумленно взглянул на пышущего гневом Муму:

— Ты чего так напрягся? Это же всего-навсего попугай.

— Это не попугай, а гораздо хуже, — проворчал Герасим. — Конечно, не при Марго будет сказано.

— Ну ты даешь, — покачал головой Баск.

— Мумушечка у нас на попугая давно и сильно обижен, — ехидно сказала Варя. — И дорогому нашему Каменному совершенно нет дела до того, что перед ним обычный представитель пернатых.

Последнее заявление Вари явно вызвало недовольство у попугая, и он с укором произнес:

— Уникальный экземпляр-р!

Все снова расхохотались. И на сей раз Герасим не был исключением.

— Ну, как дела с нашей газетой? — чуть успокоившись, спросила Наташка.

Друзья протянули ей снимки.

— Вот. Можешь изучить изобразительный материал.

— Потрясающе! — с наивным восторгом воскликнула Дятлова. — Вот молодцы! Как вы сумели такое подловить?

— Просто обыкновенное везение, — с хорошо разыгранным простодушием ответила Варя.

— Ой! Жалко, я на той перемене не была в буфете, — посетовала Дятлова. — Самое интересное пропустила. Ребята, а что там на самом деле произошло? А то все разное говорят.

— Сами толком не знаем, — ребята остерегались ставить Наташку в курс дела.

— Мы вошли, — добавил Луна, — а Колобки как заорет! Мы все даже вздрогнули. А я от неожиданности случайно с Тарасом Бульбой столкнулся.

— Главное, что у нас аппараты при себе были, — подхватил Иван.

— Повезло! — Наташка приняла их рассказ за чистую монету. — Редкостная удача. Теперь газета выйдет что надо. А почему англичанка орала?

— Тайна, покрытая мраком, — ответил Герасим. — Вроде бы говорят, она испугалась какого-то таракана. Но его никто из остальных не видел.

— Колобки явно глючила, — с наглым видом заявил Баск.

— Необязательно, — вступилась за англичанку Дятлова. — Вообще-то у нас в столовой есть тараканы. Я сама несколько раз видала.

— Вот таких? — развел руки Муму.

— Что-о? — округлились глаза у Наташки. — Герка, ты в своем уме?

— Я-то в своем, — ответил Герасим. — Это Лариса сказала, что таракан был именно такого размера.

— Ей со страху почудилось, — уверенно произнесла Дятлова.

— Или от Ярослава Хосе Рауля Гонсалеса привезли, — хихикнула Варя. — В качестве спонсорской помощи.

Латиноамериканский миллионер русского происхождения Ярослав Хосе Рауль Гонсалес считал делом чести посильно способствовать развитию российской культуры и образования. Именно на его щедрые пожертвования и по его инициативе была основана экспериментальная авторская школа «Пирамида», которую возглавляла давняя приятельница мамы Ивана Холмского — Екатерина Дмитриевна Рогалева-Кривицкая.

— А что, разве на родине этого Хосе такие тараканы водятся? — подыграл Баск.

— Именно, Сенечка, — продолжала Варя. — Там, на родине нашего дорогого Ярослава, насекомые очень большие.

— Ой, давайте больше не будем про тараканов, — поморщилась Дятлова. — А то как-то противно.

— Пр-ротивно! Тар-раканы! — тут же повторил сидящий под столом Птичка Божья. — Отвррратительно!

— Видите, — Дятлова обрадовалась поддержке, — ему тоже не нравится.

— Много этот маринованный рябчик понимает в тараканах, — презрительно процедил сквозь зубы Муму.

— Гер-расим мар-ринованный! — парировал из-под стола его выпад попугай. — Дур-рак! — Затем, чуть подумав, добавил: — Птичка Божья — хор-рошая птичка.

— По-моему, пора делом заняться, — спешно вмешалась Варвара. — Иначе эти два попугая, — она кинула выразительный взгляд на Герасима, — опять поругаются. Марго, где твой ватман?

— Тут. — И подруга извлекла из-за спинки дивана белый рулон.

Ребята расстелили ватман на столе. Девочки отправились в комнату Маргариты за акварельными красками, кисточками, фломастерами и карандашами. Птичка Божья тоже сходил вместе с ними и первым возвратился, деловито сообщив оставшимся:

— Полный пор-рядок.

Баск от смеха чуть не свалился со стула. А Муму строго сказал:

— Вот такие, Сенька, как ты, ему потакают и распускают.

— Да брось ты! — хлопнул его по плечу Баск. — В жизни таких прикольных птиц не видел. Отличный парень.

Птичка Божья, поняв, что его хвалят, гордо развернул ярко-зеленую попугайскую грудь и, просвистев позывные информационной программы «Время», переспросил:

— Пар-рень? — После чего немедленно сам же себе ответил: — Кр-расавец!

Гостиную сотряс гомерический хохот. Марго, Варя и Наташка уронили на пол часть принесенного арсенала для изготовления газеты. Фломастеры раскатились по всей комнате. Команда отчаянных начала их собирать. Герасим при этом не выпускал из поля зрения попугая. Печальный опыт подсказывал Муму, что Птичка Божья никогда не упустит своего шанса.

— Выходит, ты всерьез его боишься? — от Баска не укрылись предосторожности Герасима.

— Ты разве, Сеня, еще не понял? — прыснула Варя. — У нашего Мумушечки с Птичкой все всерьез.

— Классовая бор-рьба! — подтвердил попугай. — Я ор-рел! Гер-расим — тр-рус!

— Смени пластинку, чучело! — не на шутку обиделся Муму. — А то заладил одно и то же. И вообще, я как-то не понимаю, зачем мы сегодня тут собрались? Эту курицу слушать? — простер он руку в сторону попугая. — Или газету делать? Сколько времени уже сидим, а на газете еще конь не валялся.

— Твоя правда, Герочка, — откликнулась Варя. — Коней еще не было. Пока тут один только попугай.

— А по-моему, не один, — обиделся Герасим.

— Ох, Мумушечка, прости, Каменный, — мигом нашлась Варвара. — Конечно же, попугаев два. Я совсем про тебя забыла.

Глаза у Муму блеснули недобрым огнем.

Поняв, что назревает большой конфликт, который запросто может вылиться в потасовку, Луна спешно проговорил:

— Ребята! Хватит! Придумываем название для газеты.

— А чего тут придумывать? — удивился Баск. — Раз к Новому году, значит, и газету назовем «С Новым годом!».

— Потрясающе! — наградила его аплодисментами Варвара. — Оригинально мыслишь, Баск.

— Я лично, например, никогда не врубаюсь, на фига эта оригинальность, когда речь идет о простых вещах? — сильней прежнего изумился Сеня. — А если ты, Варька, у нас такая оригинальная, сама и предлагай.

— Пожалуйста, — немедленно предложила девочка. — «Дед Мороз-новости».

— В общем, неплохо, но чересчур узко, — покачал головой Луна. — Может, лучше «Вифлеемская звезда»?

— Твоя правда, — вынужден был признать Павел.

— Поэтому, — снова заговорил Герасим, — предлагаю заглавие «Новогодний подарок».

— Ну, Мумушечка! — расхохоталась Варя. — По-моему, ты еще менее оригинален, чем Баск.

— Можно «Новогодний калейдоскоп», — предложил Иван.

— Замечательно, — с восхищением поглядев на Ивана, выдохнула Наташка Дятлова.

Марго вообще-то ничего не имела против «Новогоднего калейдоскопа». Однако, увидев Наташкину реакцию, яростно возразила:

— Совершенно банальный заголовок!

Иван опешил. Столь бурный протест Марго потряс его до глубины души. И он с оскорбленным видом откликнулся:

— Раз ты такая умная, сама и придумывай.

Марго поняла, что совершенно незаслуженно его обидела, и попыталась исправить положение:

— А вообще-то, может, и не так плохо.

Но Пуаро, стараясь не смотреть на нее, лишь пожал плечами.

«Дернуло же меня связаться с этой Наташкой!» — в который раз мысленно посетовала Марго.

— Ну, принимаем Ванино название? По-моему, оно самое удачное, — словно нарочно, продолжала восхищаться Дятлова.

Марго уже еле сдерживалась, чтобы не нахамить ей. Варя, уловив состояние подруги, сказала:

— Не суетись, Наташка. По-моему, еще не все высказались. Ты-то, Марго, что нам предложишь?

Та задумалась. Сейчас ей просто необходимо было изобрести название, которое окажется лучше других.

— А почему бы не «Новогодняя гирлянда»? — наконец нарушила напряженную тишину гостиной девочка.

— Мне нравится! — вполне искренне одобрил Иван.

Марго не смогла сдержать победоносной улыбки.

— А по-моему, «Новогодняя гирлянда» то же самое, что «Новогодний калейдоскоп», — не сводя преданных глаз с Ивана, заявила Дятлова. — Только калейдоскоп звучит лучше.

— Правильно, — к немалому изумлению и возмущению Марго, выступил в Наташкину поддержку Сеня. — Калейдоскоп, знаете, это... выразительней получается, — он наконец нашел нужное слово в своем отнюдь не богатом лексиконе. — И по сути выходит точнее. Ведь у нас с вами получится именно калейдоскоп: много разных материалов.

— Именно, — Дятлова совсем обнаглела от его поддержки.

— Откр-рытое поименное голос-сование, — раздался из-под стола голос Птички Божьей. По всей видимости, попугай недавно посмотрел очередной телерепортаж из Государственной думы.

— Устами птички глаголет истина, — фыркнула Варя. — Я, например, за гирлянду.

— Я — за калейдоскоп, — определился в своих пристрастиях Луна.

— Пожалуй, я тоже. — Муму проявил мужскую солидарность, хотя вообще-то ему больше всего нравилось собственное название.

— Необходим консенс-сус, — зациклился на политической лексике попугай.

Друзья разом грохнули.

— Если Птичка и дальше будет продолжать в том же духе, то запросто выдвинет свою кандидатуру в президенты.

— А почему бы и нет? — откликнулась Варя. — Оперение яркое, внешность эффектная, и говорить умеет.

Птичка Божья, покинув укрытие под столом, вышел на середину комнаты, залопотал что-то неразборчивое и вдруг хорошо поставленным мужским голосом на одном дыхании выпалил:

— Долой кор-рупцию! Я — ор-рел! Гер-расим тр-рус!

— Нет, ребята! — замахала руками Варя. — Все-таки нельзя его в президенты. Иначе Мумушечке нашему срочно придется эмигрировать.

— Эмигр-рировать, — повторил попугай и с достоинством удалился под стол.

— Я полагаю, неплохо бы нам вернуться к газете. — Герасиму надоели Варины подтрунивания. — Насколько можно понять, большинство за название Ивана.

— Потому что оно самое точное. — Голос Дятловой прозвучал трепетно, и она одарила Холмского очередным нежным взглядом.

— Варька, — как-то слишком уж равнодушно проговорила Марго. — По-моему, нам придется подчиниться квалифицированному большинству.

— Как сказал бы Птичка Божья, — фыркнула подруга.

— Птичка Божья — хор-рошая птичка, — ми-гом отреагировал попугай. — Гер-расим — р-ре-диска!

В следующее мгновение Муму с истошным во-ем взвился на ноги.

— Экий ты стал у нас впечатлительный, — ус-мехнулась Варвара. — Подумаешь, редиской на-звали.

— Да эта тварь меня в ногу клюнула! — с воз-мущением проорал Герасим. — Курица экстреми-стская! Террорист!

Попугай с явной издевкой закудахтал.

— Марго! — позеленел от ярости Каменное Му-му. — Умоляю: убери его, пока не поздно.

Девочка поняла, что резерв терпения у Гераси-ма исчерпан.

— Пойдем, Птичка. — Нагнувшись, она с лов-костью подхватила попугая на руки. — Там нас бабушка ждет.

— Несанкционир-рованный ар-рест! — голо-сом известной нарушительницы спокойствия Ва-лерии Новодворской сообщил присутствующим Птичка Божья. — Бабуш-шка, бабуш-шка! Подр-ру-га, спаси! — продолжал он уже в коридоре.

— Фу-у! — выдохнул с облегчением Герасим. — Теперь хоть расслабиться можно.

И он впервые за весь вечер спокойно развалил-ся в кресле.

— А мне, например, этот парень нравится. — Сеня снова встал на защиту попугая. — Не пони-

маю, Муму, чего он с тобой всю дорогу такие крутые разборки устраивает?

— Вопрос не по адресу, — буркнул Герасим. — Кто устраивает, у того и спрашивай.

Марго вернулась.

— Ладно. С названием решено. А чем его напишем? Красками?

— Ой, ребята, — оживилась Наташка, — я принесла потрясающую специальную бумагу. Может, из нее буквы и вырежем?

И, слазив в сумку, она вытащила папочку с цветными листками.

— Видите? Блестит, фосфоресцирует, и буквы выйдут как будто выпуклые. А если еще все их сделать разных цветов, получится настоящий калейдоскоп.

— Молодец, Наташка! — воскликнул Иван.

Марго отказывалась верить своим ушам. Она украдкой кинула взгляд на Ивана. Сердце у нее екнуло. Мальчик с вполне искренним восхищением смотрел на Наташку. А Дятлова просто светилась от счастья.

— Давайте-ка посчитаем, сколько нам нужно вырезать букв. — Луна уже взялся за дело.

Схватив карандаш, он написал на листке бумаги: «Новогодний калейдоскоп».

— Двадцать одну, — после короткой паузы продолжал Павел. — Нас с вами семеро.

«Лучше бы оставалось шестеро». — Маргарита была полностью погружена в невеселые размышления.

110

— Очень удачно, — тем временем говорил Луна. — Как раз по три буквы на каждого. Сейчас распределим и быстренько сделаем.

— Но они же получатся разные, — возразила Наташка.

— Вот и хорошо, — понял Баск замысел Луны. — У нас же калейдоскоп, а не Третьяковская галерея.

— Почему Третьяковская? — не поняла Дятлова.

— Это, Наташенька, он так, к слову, — язвительно отозвалась Варя.

— А-а, — протянула Дятлова и вновь уставилась на Ивана.

— Ну, — сухо произнесла Маргарита. — Может, за дело возьмемся? Чур, первые три буквы мои.

Никто с ней не спорил. Остальные тоже выбрали себе буквы. Работа закипела. Не прошло и пятнадцати минут, как верхнюю часть ватмана украсила разноцветная пляшущая надпись. Такое начало всем показалось многообещающим.

— А что еще-то надо, кроме надписи и фотографий? — посмотрел Баск на Луну.

— Тексты, Сенечка, тексты, — вместо Павла ответила Варя.

Лицо Дятловой вдруг сделалось пунцовым.

— Я тут вообще-то рассказ новогодний придумала, — с явным усилием произнесла она.

— Замечательно! — одобрил Иван.

— А еще я переписала гороскоп на будущий год из одного журнала, — добавила Дятлова.

— Тоже хорошо, — кивнул Иван.

«Интересно, эта Дятлова когда-нибудь заткнет свой фонтан?» — молча злилась Марго.

Глянув на подругу, Варя поторопилась вмешаться:

— А еще, думаю, нужны советы, как встречать этот Новый год. Ну, там, что надевать, есть, пить, произносить и так далее.

— Ой, я знаю, где это есть, — опять встряла Наташка. — Сегодня вырежу, а завтра принесу.

— Можешь не трудиться, — перебила Марго. — У меня тоже есть один журнал, где все об этом написано.

— А-а, — разочарованно протянула Дятлова. — Ну, тогда не буду.

— Да почему? — возразил Иван, совершенно не чувствуя, как в гостиной Королевых с каждой минутой накаляется атмосфера. — Наоборот. Объедините с Марго усилия. Одно возьмем из ее журнала, а другое — из Наташкиного.

«Интересно у него получается!» — Маргариту уже всю трясло.

— Хорошо, Ваня, я так и сделаю, — тем временем пообещала Дятлова.

«По-моему, эту газету нужно срочно доделывать, — продолжала размышлять Марго. — Лучше даже прямо сейчас. Иначе мы от общества Дятловой не скоро отделаемся».

Словно уловив ее мысли, Наташка поглядела на часы:

— Ой, ребята, мне надо идти. Ко мне скоро учительница музыки явится.

— А ты на чем играешь? — немедленно поинтересовался Иван.

— На виолончели, — потупила взор Наташка.

«Сама ты виолончель», — про себя отметила Маргарита.

К счастью, Дятлова направилась в переднюю одеваться. Иначе бы конфликта не избежать. Газету договорились доделать завтра или послезавтра вечером. Как получится. В этом была своя логика. Ребятам все равно требовалось время для изготовления фотографии Муму в виде Деда Мороза из камина, окруженного ближайшими друзьями. Кроме того, надо было сочинить тексты. А Баск к тому же потребовал ввести колонку с новогодними анекдотами, без которых, по его словам, «газета будет совсем никакая».

— Ну, наконец-то ушла, — захлопнув дверь за Наташкой, сказала друзьям Марго.

— Не понимаю, что ты против нее имеешь? — пожал плечами Иван. — Вообще-то она совсем ничего. А в школе казалась такой противной.

— Нормальная девчонка, — поддержал его Баск.

— О вкусах не спорят, — ледяным голосом отозвалась Маргарита.

— Вот она, женская логика, и притом во всей своей красе! — Муму простер длань к Марго и Варе. — Сами Наташку пригласили, а теперь недовольны, что мы хвалим ее.

— Маргари-ита, — приторным голоском протянула Варя. — Вот это Дятлова! Даже Мумушечка попал под ее обаяние.

— Никуда я не попал, — надулся Герасим.

— Еще как попал, — продолжала Варя. — Это, Марго, не Дятлова, а Клеопатра какая-то.

— Что вы над ней издеваетесь, — снова заговорил Иван. — Ну, нравится человеку в нашей компании. Тем более у нее вроде в классе и друзей нету.

— Нравится так нравится. — Марго пожала плечами и отвернулась от Ивана.

— Ты чего? — удивился тот.

— Совершенно ничего, — ледяным голосом отозвалась девочка.

«Вроде она опять на меня дуется», — сильней прежнего озадачился Иван. Он попробовал было понять, на что могла разозлиться Маргарита, но тут Сеня вновь вернулся к истории со старинными часами.

— Странно все это, — с волнением произнес он. — Не мог их никто подвинуть.

— Если подвинуты, значит, мог, — мигом принялся возражать Муму.

— Не мог, — упорствовал Сеня.

— Но дыма ведь без огня не бывает, — выдвинул контрдовод Герасим.

— Марго, а твои камушки могут определить, есть что-нибудь странное в этих часах или нету? — спросила вдруг Варя.

Подруга задумалась.

— Наверное, могут, — наконец тихим голосом произнесла она. — Во всяком случае, стоит попробовать.

— Какие камушки? — уставился на нее Баск.

— Ах да. Ты не знаешь, — хлопнула себя по лбу Варвара. — Видишь ли, Сеня. У нашей Маргоши по линии Ариадны Оттобальдовны женщинам через поколение передается магический дар.

— А вместе с ним камушки, — подхватила Маргарита, — на которых можно гадать о прошлом, настоящем и будущем.

— Кончайте прикалываться, — Баск решил, что его разыгрывают.

— Мы не прикалываемся, — пристально посмотрела на него Маргарита.

Остальные тоже хранили полную серьезность. Команда отчаянных много раз убеждалась во время своих расследований, что камушки Марго никогда не врут. Мало того, их предсказания помогали ребятам выйти на след преступников.

— Так это что, правда? — в полном недоумении спросил Баск.

Марго кивнула.

— Ну, давайте попробуем, — в Сенином голосе по-прежнему не ощущалось уверенности.

— Вот я и предлагаю, — сказала Варя.

Марго вышла из комнаты и почти сразу же возвратилась с кожаным мешочком. Подойдя к столу, она решительно сдвинула в сторону незаконченную газету. Затем беззвучно произнесла тайное заклинание. На мгновение замерла и резко перевернула мешочек. Древние камушки с тихим стуком рассыпались по столу. Ребята затаили дыхание.

Глава VI

МР-Р-РАК

Марго молчала довольно долго. Первым не выдержал Баск:

— Ну чего там твои булыжники говорят?

— Не мешай, — девочка свела густо-черные брови к переносице.

В ее взгляде было столько строгости, что Баск осекся.

Марго вновь принялась сосредоточенно разглядывать камушки.

— Очень странно, — наконец глухо произнесла она. — Человека, который связан с этими часами, ждет очень большая беда.

— Какого человека? — встревожился Сеня.

Марго пожала плечами:

— Мои камушки или, как ты изволил выразиться, булыжники — не компьютер. Они имя-фамилию-адрес не называют.

— А что же нам теперь делать? — растерялся Сеня.

— Думать, — коротко отозвалась Марго.

— Мрак, — сумрачно произнес Сеня.

— Мр-рак, — раздался из коридора голос Птички Божьей. В следующее мгновенье он собственной персоной возник в дверях.

— Ты почему от бабушки убежал? — спросила Марго.

— Дер-рзкий поступок, — покосился на нее Птичка Божья и прошествовал на середину гостиной.

— Ну вот, началось. — Герасим совсем не обрадовался его появлению.

— Кто тебе разрешил убегать от бабушки? — продолжала отчитывать попугая Маргарита.

Птичка Божья явно обиделся. И, нахохлившись, вдруг утробным голосом одного из бывших премьер-министров России заявил:

— Хватит вопр-росов!

Затем Птичка развернулся и, переваливаясь с боку на бок, направил стопы в сторону комнаты Ариадны Оттобальдовны.

— Нет, я все-таки не понимаю, — в полном смятении продолжал Баск. — Что значит — связан с часами? Если твои булыжники имеют в виду хозяина, значит, это мой папандр. Но какие ему могут грозить неприятности? И где они ему грозят? Здесь, в Москве, или там, где они сейчас с матерью?

— Чего не знаю, того не знаю, — снова пожала плечами Маргарита.

— Они совсем у тебя больше ничего не говорят? — Сеня потыкал в один из камушков.

— Ничего, — подтвердила девочка. — Но, если хочешь, могу погадать на твоего отца.

— Хочу, — сказал Сеня. — И, слушай, Марго, попроси их, пожалуйста, поподробней.

— Ты что, совсем тупой? — повернулась к нему Варвара. — Тебе ведь уже Марго говорила. Ее камушки — не Интернет.

— А я разве говорил что-нибудь про Интернет? — принялся защищаться Сеня. — Но попросить-то можно. По-моему, хуже не будет.

— Сеня, — очень мягко произнесла Марго. — Понимаешь, мои камушки только предупреждают. А всего ты от них никогда не добьешься.

— Ну хорошо, — смирился Баск. — Пусть хоть что-нибудь скажут. Гадай на папандра.

Марго, собрав камушки в мешочек, повторила весь ритуал сначала. Ребята, внимательно наблюдавшие за ее действиями, сразу заметили, что камушки легли на столе совсем по-другому, нежели в предыдущий раз.

— Интересно. — Марго, похоже, была озадачена.

— Что интересно? — вскочил на ноги Баск.

— С отцом твоим получается, — продолжала Марго.

— Что с ним получается? Не томи! — заорал Сеня во весь голос.

— Тише, — прижала палец к губам Марго. — В общем, на данном этапе твоему предку вроде бы ничего не грозит. Однако в самом ближайшем будущем у него могут возникнуть какие-то неприятности. Причем они напрямую связаны именно с часами.

— Неприятности или опасность? — решил уточнить Сеня.

Марго окинула взглядом камушки.

— Скорей, все-таки неприятности, — задумчиво проговорила она.

— Странно, — сказал Сеня. — Какие папандру могут грозить неприятности? На нефть, что ли, в ближайшее время цена упадет? Но тогда при чем тут «Цвайс»?

— Твоя правда, Сенечка, — фыркнула Варя. — Часы, даже такие знаменитые, цен на нефть не устанавливают.

— Слушай, — вмешался Герасим. — Но ведь ты, Сеня, тоже связан с часами.

— В общем, да, — подтвердил Баск.

— Тогда все ясно, — зловеще проговорил Муму. — Значит, беда от «Цвайса» грозит именно тебе. А когда она тебя настигнет, у предка твоего, естественно, возникнут неприятности.

— Все может быть, — кивнула Марго.

— Чума-а! — взвился со стула Сеня. — Полный беспредел! Гадай, Марго, на меня!

— Если хочешь, — не торопилась девочка.

— Гадай, гадай, — поторопил Баск. — Я теперь все равно уже не успокоюсь.

И Марго в третий раз кинула камушки.

— Сеня, — посмотрела она прямо в глаза Баску.

Это был очень странный взгляд. Мальчик невольно поежился, а по спине у него побежали мурашки.

— Говори. Слушаю, — собрав остатки мужества, сипло произнес он.

— Тебе правда грозит опасность, — так и не отводя глаз, сообщила девочка.

— Какая? — побелел Сеня.

— Не знаю, — ответила девочка. — Но она точно связана с «Цвайсом». Будь очень осторожен.

— С часами? — округлились глаза у Баска. — Но что они мне могут сделать?

— Например, упасть, — сообразила Варвара. — Смотри, Баск, они у тебя уже вроде как ходят по комнате. Вот ты, Сенечка, к ним подойдешь, а они возьмут на тебя и прыгнут.

— Не смешно, — обиделся Баск.

Остальные Варину шутку тоже не поддержали. Уж кому-кому, а Команде отчаянных было известно: камушки Марго никогда понапрасну не предупреждают об опасности. Значит, над Сеней Баскаковым и впрямь нависла беда. Каждому из пятерых отчетливо вспомнился сбивчивый рассказ друга о странной ночи, когда внезапно остановились часы. И теперь, после предсказания камушков, случай этот обрел зловещий смысл.

— Слушай, — посмотрел Иван на Сеню. — А может, тогда «Карл Цвайс» хотел тебя о чем-то предупредить?

— Че-его? — протянул Баск. — Совсем, что ли, с катушек слетел?

— Я лично ни с чего пока не слетал, — невозмутимо откликнулся Холмский. — И, между прочим, не я в твоей столовой, а ты сам видел, как мелькнуло что-то белое и исчезло.

— Ну, — подтвердил Баск.

— Так вот, — продолжил Иван, — похоже, к тебе явился дух часов.

— Дух часов? — разинул рот Сеня. — Ребята, вы чего, издеваетесь?

— И не думаем, — очень серьезно поглядела на него Марго. — Часы-то старинные и со своей историей.

— Ну и что? — по-прежнему не доходило до Баска.

— Понимаешь, — Марго терпеливо начала объяснять, — дух часов — это ну вроде как маленький домовой.

— Домовой? — Сеня чувствовал, что у него уже заходит ум за разум. — Не верю я ни в каких домовых.

— Дело твое, — продолжила Марго, — но есть вещи, которые существуют независимо от того, верим мы в них или нет.

— Кончайте меня дурачить, — Сеню охватило раздражение.

— Мы тебя совершенно не заставляем верить в это, — ласково, словно обращаясь к маленькому ребенку, ответила Марго. — Но в существование самих часов ты веришь?

— Ежу понятно, — ухмыльнулся Баск. — Они же у нас в столовой стоят, и за них куча бабок выложена.

— Уже хорошо. — Марго осталась довольна его ответом. — Тогда едем дальше. С часами явно что-то не так. Это, насколько я понимаю, тоже не вызывает у тебя сомнений. Потому что ты сам обо всем рассказал.

— Рассказал.

— И нечто белое видел ты, а совсем не мы, — не отводила от Сени взгляда Марго. — Значит, ты стал свидетелем чего-то странного и непонятного.

— Ну, — снова кивнул Баск.

— В таком случае не понимаю, почему у тебя вызывает такой бурный протест дух часов? — пожала плечами Марго.

— Потому что я никакого духа не видел, — откликнулся Сеня.

— А ты, например, не допускаешь, что это белое и было духом часов, который явился тебе, чтобы предупредить об опасности? — спросила Маргарита. — Явился и остановил часы.

— Явился и остановил часы, — как эхо, повторил Сеня.

— Чтобы привлечь твое внимание, — подхватила Марго. — Кстати, дух своей цели достиг. Ты не только задумался, но и встревожился.

— Логично, — Сеня наконец принял доводы девочки. — Мне после той ночи до сих пор не по себе.

— Вот видишь, — улыбнулась девочка. — А раз тебе не по себе, значит, ты не успокоишься и будешь настороже, пока не разберешься, в чем дело.

— Верно, — Сеня и на сей раз ничего не мог возразить. — Предположим, это и впрямь дух. Но ведь «Цвайса» кто-то подвинул.

— Дух и подвинул, — вмешался Герасим.

— Зачем? — спросил Сеня.

— Чтобы ты не расслаблялся, — пояснил Муму. — Иначе прошло бы время, и ты в конце концов решил, будто тебе той ночью все почудилось. А часы просто встали сами по себе.

— А ведь я, если честно, уже почти так и думал, — признался Баск.

— Значит, дух не зря старался, — подвел итоги Герасим.

— Предположим, вы меня уговорили. — Баск еще испытывал сомнения. — Но дальше-то что нам делать?

В комнате повисло молчание. Ответить на Сенин вопрос оказалось трудно. Ибо одно дело, когда об опасности предупреждает нормальный человек, и совсем другое — когда имеешь дело с духом, да еще с таким, о котором вообще ничего не известно.

— Так, — начал Луна. — Давайте рассуждать логически.

— Логически? — перебил Муму. — По-моему, когда речь заходит о всяких потусторонних силах, логике места не остается.

— Ошибаешься, — покачал головой Павел. — В параллельных мирах тоже есть своя логика.

— Просто мы с этими мирами не так часто сталкиваемся, — подхватила Марго.

— Вот именно, — Герасима охватил очередной полемический задор. — А потому нам неизвестно, какая у них там логика.

— Будем исходить из нашей, человеческой логики, — ничуть не смутился Павел. — Почему дух «Цвайса» вдруг так засуетился и решил о чем-то предупредить Сеньку?

— И впрямь, — всплеснула руками Варя. — Они ведь едва знакомы.

— Ну, — кивнул Луна. — А между тем этот дух пускается на такие ухищрения.

— Перепугал меня до смерти, — поежился Баск.

— Именно, — Луна в задумчивости потеребил мочку уха. — Зачем старому, уважающему себя духу пугать ни в чем не повинного Сеню? Скорей всего, он это делает потому, что сам напуган.

— Откуда ты знаешь? — уставился Баск на Луну.

— Я не знаю, а предполагаю, — пояснил тот. — Если мы правы и тебе явился дух часов, то волновать его должна именно судьба «Карла Цвайса». А если так, то он тебя, Сенька, предупреждал об опасности, которая нависла над тобой и часами.

Едва услыхав это, Сеня вновь взвился на ноги и, ткнув пальцем в полированную столешницу, потребовал:

— Марго, гадай на часы!

— На часы? — охватило замешательство девочку. — Вообще-то я всегда гадаю на людей, а на вещи как-то еще не приходилось. Даже не знаю, можно ли.

— У меня раньше тоже часы как-то по столовой не расхаживали, — усилил натиск Баскаков. — Ну, пожалуйста. Попробуй. Вдруг твои булыжники скажут?

Марго на мгновенье задумалась. Впрочем, ее саму все сильнее захватывала тайна «Карла Цвайса».

— Ладно.

Она спешно собрала со стола в мешочек камушки и, произнеся заклинание, вновь высыпала их.

— Ну? Сработало? — Баск изводился от неизвестности.

Марго властным жестом заставила его умолкнуть. По сосредоточенному лицу девочки было видно: узор камушков вызвал у нее любопытство и одновременно недоумение.

— Сработало, — наконец глухо произнесла она.

— Что с «Цвайсом»? — опять не выдержал Сеня.

— Ему грозит опасность, — откликнулась девочка.

— Та же, что и мне? — спросил Баск.

— Не знаю, — сказала Марго. — Об этом камушки молчат.

— Тогда, скорей всего, та же, — пришел к собственному умозаключению Сеня. — Твои булыжники хоть говорят, откуда этой опасности ждать?

Марго еще раз внимательно поглядела на камушки.

— Со стороны.

— Так что, Сенечка, запирайся покрепче, — вмешалась Варя.

— Тут запирайся — не запирайся, все равно бесполезно, — с мрачным видом изрек Муму.

— Почему бесполезно? — осведомился Баск.

— Нет такой двери, которую нельзя открыть. — Голос Муму прозвучал мрачней прежнего.

— Может, предков из Австралии вызвать? — Сеню охватила паника. — Нет. Вызывать нельзя, — почти тут же отказался он от этого плана. —

Предок вернется. Увидит, что «Цвайс» стоит, и покатит на меня бочку. Мол, я про опасность все выдумал, чтобы отвертеться.

— Пожалуй, ты прав, — согласились остальные.

— Погодите, — у Луны возник план. — Я все-таки считаю, что нам в любом случае надо проверить: действительно ли часы испортились или их достаточно завести, и они снова пойдут. А если даже и не пойдут, то хоть попытаемся разобраться, отчего они перестали ходить.

— Правильно, — согласился Иван. — Может, дух как раз этого от Баска и добивается.

— К тому же там, внутри, может оказаться какой-нибудь ключик к отгадке.

— Между прочим, и на это дух вполне может намекать, — подхватила Марго.

— А давайте прямо сейчас попробуем, — Сене не терпелось приняться за дело.

— Сегодня не выйдет, — посмотрел на часы Павел. — Предки с минуты на минуту домой вернутся. Значит, надо будет ужинать. А после ужина надолго вырваться трудно. К тому же мне еще отцовскую коллекцию старинных ключиков нужно взять. И я предпочитаю это сделать в его отсутствие. Иначе возникнет множество ненужных вопросов.

— Ладно, — сдался Сеня. — Завтра так завтра.

— А когда завтра? — встрял Иван. — Мы же после уроков договорились с Наташкой газету доделывать.

— Ваня! — с возмущением воскликнула Варвара. — Тебе что, Наташка с этой газетой важнее, чем дело?

— Да нет. Не важнее, — смутился Иван. — Просто мы договорились. Неудобно получится.

— Неудобно? — вырвалось у Марго.

— Перебьется Дятлова, — решительно проговорила Варя. — А газету доделаем послезавтра.

— Вот именно. — Сеня не мог сейчас ни о чем думать, кроме тайны часов.

— Да я вообще-то согласен, — сказал Иван.

Марго украдкой поглядывала на него. В душу девочки закрадывались самые худшие подозрения. Раньше, когда дело касалось раскрытия тайн, Ивана только это и занимало. А сейчас ему будто даже и не очень интересно. И, главное, в такой момент вспомнить о Дятловой!

— Ты что, Маргарита? — Иван поймал на себе ее взгляд.

— Совершенно ничего, — вздернула та голову. — Ну? — обратилась она к остальным. — Значит, завтра сразу после уроков отправляемся к Баску?

— Иного выхода у нас нет, — убежденно заявил Герасим.

— Только бы, Луна, твои старинные ключики подошли, — с волнением произнес Баск.

— Мы с ключиками постараемся, — улыбнулся Павел. — А ты, Сенька, вот что сделай. Выясни у своей мучительницы завтрашний распорядок дня. И если она, например, собирается провести время дома, срочно придумай ей такое дело, чтобы она хоть на часик куда-нибудь делась. Сам понимаешь, нам в этом деле лишние свидетели не нужны.

— Это уж точно, — горячо поддержал его Баск. — Иначе она отцу доложит. Будьте спокойны. Что-нибудь я для нее придумаю.

Наутро Баск поджидал ребят возле дома восемнадцать. Так получилось, что все четверо вышли одновременно. Иван и Марго из первого подъезда, а Герасим и Варя — из второго.

— Вы что же, перед выходом созваниваетесь? — подивился Сеня.

— Нет, — с улыбкой проговорила Марго. — Просто так получилось.

— Обычно мы Мумушечку ждем, — ехидно произнесла Варя.

— Меня? — тут же завелся Герасим. — Это я обычно всех жду.

— Шутка, Герочка, шутка, — с наигранным ужасом пролепетала Варя.

— Пошли скорее, — поторопил Иван. — А то Пашка уже заждался.

Все поспешили к дому номер двадцать шесть. Едва увидав возле подъезда Луну, который с аппетитом дожевывал на улице булочку, Сеня осведомился:

— Ключи принес? Покажи.

— Баск, ты в своем уме? — посмотрел на него Павел, словно на пришельца с иной планеты. — У отца этих ключей огромная жестяная коробка. Я вообще едва с места ее сдвигаю. На фига мне такое брать в школу?

— Ну я же не знал, сколько там у вас ключей, — ответил Баск.

— Я вообще вот как решил, — продолжал Луна. — Чтобы нам к тебе на квартиру лишний раз не переть, заскочим после уроков сперва ко мне, и ты, Сенька, выберешь те ключи, которые хоть более или менее по размеру подходят.

— Ты хоть помнишь, какого размера скважина у «Карла Цвайса»? — кинул Герасим пытливый взор на Баска.

— Примерно помню, — откликнулся тот.

— Примерно, — с осуждением произнес Муму. — Надо не примерно, а точно.

— Как умею, так и помню, — надулся Баскаков.

— А как выглядели ключи, тоже помнишь? — задал новый вопрос Луна.

— Вроде бы, — кивнул Баск. — Если у тебя что-нибудь подобное увижу, то вспомню.

— Тогда хорошо. — Луна на большее и не надеялся.

Ребята пошли дворами по направлению к «Пирамиде».

— «Цвайс»-то больше ночью не хулиганил? — поинтересовался Иван.

— Фиг его знает. Я спал, — отозвался Сеня.

— А утром? — спросила Марго.

— А утром «Цвайс» стоял, где вчера, — внес ясность мальчик.

— Значит, больше ходить пока не учится, — фыркнула Варя.

— Слушай, чего ты все время издеваешься? — Сене было сейчас не до шуток.

— Характер такой, — с ангельским видом потупила взор Варвара.

— Плохой характер, — вынес суровый вердикт Каменное Муму.

— Уж кто бы говорил, — не осталась в долгу Варя.

— А что ты, интересно, имеешь против моего характера? — Герасим искренне недоумевал.

— Да, в общем, ничего, — с таким видом произнесла Варя, словно хуже характера, чем у Каменного Муму, невозможно даже вообразить.

Возле распахнутых ворот школьного двора нетерпеливо переминалась Наташка Дятлова.

— Почему вы так долго? — едва завидев Сеню и Команду отчаянных, выпалила она. — Я вот тут принесла... и жду вас, жду.

При этом она взирала на одного лишь Ивана, и Варе с Марго стало совершенно ясно, кого именно из их компании с таким нетерпением дожидалась Наташка.

— У нас были дела, — сухо произнесла Маргарита.

— Тоже насчет газеты? — Наташка по-прежнему не сводила глаз с Ивана.

— Представь себе, нет. — Марго уже вся кипела. — У нас есть и другие дела.

— И вообще, — подхватила Варвара, — мы как раз хотели тебя предупредить: сегодня с газетой ничего не выйдет.

Лицо у Дятловой горестно вытянулось.

— Как не выйдет? А тогда когда же?

— Завтра, — тоном, не допускающим возражений, заявила Марго.

«Что это с ней? — с изумлением подумал Иван. — Ее в последние дни прямо как подменили».

Слова Марго повергли Дятлову в еще большее уныние.

— Завтра? — едва не плача, пролепетала она. — Но я завтра как раз не могу. У меня опять музыка.

Ивану стало искренне жаль Наташку, и, стремясь сгладить ситуацию, он бодро произнес:

— Ничего страшного. Соберемся послезавтра.

Черные глаза Марго сузились от ярости. Но Иван в это время смотрел на Наташку и поэтому ничего не заметил. Дятлова просияла.

— Правда, ребята? — обращаясь к одному Ивану, почти пропела она. — Послезавтра не поздно?

— Совсем не поздно, — вдруг вмешался Каменное Муму. — Наоборот, может, новые мысли возникнут.

— А я, глядишь, фотку еще какую-нибудь забацаю! — с простодушной радостью воскликнул Баск.

— Замечательно! — возликовала Дятлова. — Тогда я свою тоже к послезавтра сделаю, а там уж посмотрите.

За спинами ребят послышались настойчивые гудки. Все семеро отпрянули от ворот. На школьный двор въехал темно-синий «Пежо». Рядом с шофером величественно восседала директор «Пи-

рамиды» Екатерина Дмитриевна Рогалева-Кривицкая. Этот «Пежо» подарил ей лично Ярослав
Хосе Рауль Гонсалес.

— Какие люди, и без охраны. — Варя проводи-
ла язвительным взглядом машину.

В это время из школьного здания раздался
первый звонок.

— Ой! Побежали! Опоздаем! — И Дятлова первой кинулась внутрь.

— До второго звонка еще пять минут. Успе-
ем! — никуда особенно не торопился Герасим. —
Ну, вы и стервы, — с осуждением посмотрел он на
девочек. — Это, кстати, к вопросу, у кого какой характер.

— Не понимаю, ты это к чему? — Варя похло-
пала длинными ресницами.

— Именно к тому, что ты якобы ничего не понимаешь, — с обличительным пафосом произнес
Муму и резко рванул на себя дверь школы.

Глава VII

КЛЮЧИ ОТ «МОЗЕРА» И ДРУГИЕ

Все уроки и перемены до конца этого учебного
дня Марго и Варя, прикинувшись, будто очень
обижены на мужскую половину Команды отчаянных, а особенно на Муму, который обвинил их в
хамстве, подчеркнуто держались особняком. Им
надо было выработать тактику дальнейшего по-
ведения, ибо ситуация с Дятловой явно выходила
из-под контроля. Мальчишки, совершенно непо-

нятно почему, встали на ее сторону, хотя до того, как Маргариту дернуло придумать эту историю с новогодней газетой, вообще в упор Наташку не замечали.

— Конечно, я сама во всем виновата, — делилась с подругой Марго, — но от этого ведь не легче.

— Даже тяжелее, — вздохнула Варя, а про себя добавила: «Надо было тогда сделать все наоборот. Пусть лучше Марго дневник бы читала, а я уж Наташке более продуктивно мозги бы запудрила».

— Что делать-то будем? — Марго ждала конкретных советов.

— Выдавливать, — решительно произнесла Варя.

— Что и откуда? — округлились глаза у подруги.

— Разумеется, Наташку. — Варя воинственно тряхнула золотыми кудряшками. — Из нашей компании. Как пасту из тюбика.

— Мысль неплохая, — одобрила Маргарита. — Только вот как это сделать?

— Пока не знаю, — призналась Варя. — Будем работать. Главное, не терять времени. Иначе Дятлова окончательно к нам внедрится, прилипнет, тогда уж точно не отдерешь. Если ее теперь даже Мумушечка защищает — это очень нехороший признак.

— Я тоже так считаю, — согласилась Марго. — Ох, и зачем я только придумала эту газету, — ее вновь охватили запоздалые раскаяния.

— Мысль была вполне идиотская. — Варвара сочла излишним разубеждать подругу. — А главное, сразу после этого нужно было решительно объявить Наташке, что мы делать газету передумали.

— Не сообразила, — с грустью произнесла Марго.

— Вот, подруга, теперь и расплачивайся за свое легкомыслие, — продолжала Варя.

— За все приходится расплачиваться, — произнесла Марго с таким видом, словно за ее плечами уже остались десятки прожитых лет.

— Теперь надо не сокрушаться, а думать, как выйти из ситуации с наименьшими для личной жизни потерями, — деловито сказала Варя. — Потому что пока мне это не нравится. А особенно тревожит твой Иван. Ну никакого у человека иммунитета! Вдруг его сочувствие перерастет в нечто большее?

Марго и сама этого безумно боялась.

— Смотри-ка, смотри! — встрепенулась Варя. — Нахалка какая! Дятлова опять на нашего Пуаро таращится.

Едва глянув в указанном направлении, Маргарита убедилась: подруга не преувеличивает. Наташка просто пожирала взглядом Холмского. Правда, стоило ей заметить, что девчонки на нее смотрят, как она резко отвернулась от «объекта».

— Выдавливать и уничтожать, — прошептала на ухо подруге Варя.

И обычно человеколюбивая Маргарита была на сей раз с ней совершенно согласна. «Хорошо еще, что сегодня мы с Дятловой не увидимся», — подумала девочка.

Сразу после конца уроков Сеня отправился к Павлу выбирать нужные ключи. Остальная часть Команды отчаянных разошлась по домам обедать. Сбор был назначен через полчаса возле дома номер восемнадцать.

К месту встречи Луна и Баск явились, таща вдвоем одну спортивную сумку.

— Никогда не думал, что какие-то паршивые ключи могут столько весить, — пожаловался Баскаков. — И ведь там их всего ничего, только на дне сумки.

— Если бы у некоторых была зрительная память получше, — с упреком возразил Луна, — то нам не пришлось бы столько ключей тащить.

— Память! — явно не принял критики Баск. — Да я эти ключи всего один раз и видел.

— А почему вдруг во множественном числе? — полюбопытствовала Марго.

— Потому что их должно быть два, — ответил Сеня. — Один открывает дверцы. А вторым заводится механизм.

— Всего-то, — высокомерно изрек Герасим. — Два ключа я с одного раза точно бы запомнил.

— Если бы знать заранее, что это потом понадобится, я бы тоже запомнил, — без тени сомнения произнес Баск.

— Так каждый бы запомнил. А надо все запоминать. На всякий случай. Во-первых, мозги развивает. А потом, никогда ведь не знаешь, что в

этой жизни потребуется, — с назидательным видом изрек Муму.

— А по мне, — вмешалась Варя, — лучше бы наше чудо Каменное поменьше запоминало. А то у него мозги как помойка.

— Почему помойка? — воскликнул Муму и от возмущения закашлялся. — У меня, кхе-кхе, все систематизировано, кхе-кхе-кхе.

Друзья зашлись от хохота. Герасим угрюмо глянул на них с высоты собственного роста.

— Над кем смеетесь? Над собой смеетесь!

— Неправдочка твоя, Герочка, — ткнула его кулачком в бок Варвара. — Мы над тобой смеемся.

— М-мозги! П-помойка! — продолжал веселиться Баск.

— Сумку лучше держи! Уронишь! — гаркнул Герасим.

Тут именно это и вышло. Пальцы ослабевшего от хохота Сени разжались, и он отпустил свою ручку. Луна от неожиданности сделал то же самое. Тяжелая сумка плюхнулась в жижу из соли и раскисшего снега, щедро обдав брызгами всех окружающих.

Большая часть досталась девочкам и Муму, шествующим впереди. Чуть меньше, но тоже достаточно получил какой-то совсем незнакомый ребятам мужчина, который, на свою беду, шел за ними.

— Безобразие! — разорался он. — Совсем обнаглели!

— Извините, — одарил его широкой улыбкой Луна. — Мы не нарочно. Просто так вышло.

— Сумка упала, — добавил Баск. — Она у нас жутко тяжелая.

Прохожий, невнятно выругавшись, поспешил своей дорогой.

— Наше счастье, что этот дяденька куда-то жутко торопится, — со свойственной ему трезвостью оценил ситуацию Луна. — А мог бы и вломить.

— Не мог. — Баск расправил могучие плечи. — Он один, а нас шестеро.

— Нет, не шестеро, — возразил Герасим.

— То есть как не шестеро? — вылупился на него Сеня. — Помойка, что ли, считать мешает?

Лицо Муму перекосило от ярости.

— Какая помойка? — сквозь зубы процедил он. — Я просто девчонок не считаю.

— А они что, разве не люди? — озадачился Баск сильней прежнего.

— Ты разве не знал, Сеня, — вкрадчиво сказала Варвара. — Мумушечка, ко всем прочим достоинствам, у нас еще и женоненавистник.

— Сейчас выяснится, что я еще член ку-клукс-клана! — в праведном негодовании проорал Герасим.

Проходящие мимо по проспекту две старушонки испуганно шарахнулись в сторону.

— Слушай, Муму, — Луна хлопнул его по плечу, — ты сейчас всех аборигенов распугаешь. А ты, Баск, — повернулся он к Сене, — бери сумку.

Иначе она у нас окончательно в этой луже промокнет, а ключики заржавеют.

— Этого нам никак нельзя допустить! — Баск мигом прихватил свою часть сумки.

Луна взялся за другую ручку, и вся компания стала переходить Бутырскую улицу.

— Между прочим, в своем утверждении, что нас не шестеро, я был вполне логичен, — вернулся к спору Муму, едва оказавшись на противоположной стороне. — Исключая девчонок, я мыслил в определенном контексте.

— В чем, в чем ты там мыслил? — переспросил Баскаков.

— Не обращай внимания, Сеня, — скорбно покачала головой Варвара. — Это наш Мумушечка нахватался от своего дедушки Льва-в-квадрате разных умных научных выражений.

— При чем тут мой дедушка? — зверем уставился на нее Герасим. — Только такая дура, как ты, не понимает: когда речь идет о драке с большим здоровым мужиком, девчонки в расчет не берутся. Значит, считайте, в контексте драки нас бы оказалось против него всего четверо.

— А-а, ты вот о чем, — наконец понял Сеня. — Так ведь без разницы. Мы бы и вчетвером ему запросто по контексту врезали.

— Ну вы даете, — фыркнула Варя. — Мало того, что облили ни в чем не повинного дяденьку грязью, так еще за это же собрались ему врезать.

— Варька, не передергивай, — откликнулся Сеня.

— Она всегда передергивает, — мигом вклинился Муму.

— Слушай, ты, кекс в контексте, заткнись, — с убийственной иронией произнесла Варя.

— Я ведь о чем, — Сеня смог наконец продолжить. — Если бы он за то, что мы его облили, на нас потянул, мы бы ему, естественно, конкретно врезали.

— Если бы да кабы, — завел свою любимую песню Герасим. — Чисто российская манера все обсуждать в сослагательном наклонении. А как доходит до дела...

— Ну, это ты зря, Муму, — возразил Сеня. — Если бы дошло до дела, все было бы путем.

— По-моему, мы уже пришли, — сказал дотоле молчавший Иван. — Ребята, переключайтесь.

— И впрямь пришли. — Сеня только сейчас заметил, что стоит возле собственного дома. — А интересно, домомучительница свалила?

— Не мог позвонить от Павла и проверить? — с возмущением посмотрел на него Герасим.

— Там у меня все мысли были ключами заняты, — признался Сеня.

— Между прочим, человек способен думать одновременно о трех вещах, — высокомерно бросил Муму.

— Герочка, ну не все же такие умные, как ты, — с издевкой отозвалась Варвара.

— Сейчас позвоню. — И, сняв висевший за плечами рюкзак, Сеня вытащил мобильный телефон.

Друзья ждали.

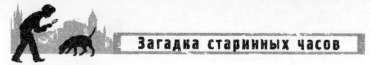

— Не подходит, — наконец сообщил Баск.

— Набери еще раз, — потребовали остальные. — Вдруг неправильно соединилось.

Мальчик послушался.

— Не. Пусто, — несколько подождав, сказал он.

— Тогда вперед! — бодро воскликнул Павел.

И они с Сеней, таща тяжеленную сумку, первыми шагнули внутрь.

Квартира и впрямь оказалась пуста. На кухне Сеня нашел записку Валентины Аркадьевны. Та сообщала, что отправилась в гости к троюродной сестре и вернется не раньше девяти вечера. Далее в записке следовал подробный перечень блюд, приготовленных Баску к обеду, а также их местонахождение.

— Братцы! — обрадовался Сеня. — Никакой домомучительницы до самого вечера! Зато полно жратвы.

— Спасибо, мы пообедали, — церемонно ответила Варя.

— Мы, между прочим, тоже у меня это сделали, — внес ясность Павел.

— В чем, в чем, а в этом, знаешь ли, я не сомневалась, — сказала Марго.

— Чтобы наш Паша да не поел, — нараспев произнесла Варя.

— И поел, и еще потом поем. — Луна хранил полную невозмутимость. — Тем более что жратвы полно. Но сперва мы займемся часами. Пошли.

И, не дожидаясь остальных, он, волоча по полу сумку с ключами, направился в столовую.

— Так. — Павел взял на себя руководство операцией. — Значит, я буду подбирать, а вы подавайте.

— Слушаюсь, капитан, — отдала ему честь Варвара и, нагнувшись над сумкой, протянула сразу два ключа.

— Ну-ка дай, — выхватил у нее ключи Герасим. — Глядите. Тут написано «Мозер». Значит, тоже от старинных часов.

— «Мозер» не «Цвайс», — покачал головой Сеня. — Наверняка не подойдет.

— А я говорю, подойдет!

И, отпихнув в сторону на миг зазевавшегося Луну, Герасим с силой вонзил ключ от «Мозера» в скважину корпуса из красного дерева.

— Что ты делаешь? — исторг панический вопль Павел. — Это же ключ, который часы заводит. Он круглый.

— А тот что, обязательно должен быть квадратный? — презрительно хохотнул Герасим и попытался отомкнуть замок.

Ключ не поворачивался. Муму попробовал применить силу. Тщетно.

— Слушай, сломаешь ведь! — взмолился Сеня. — Тогда мне вообще полный абзац. Вытягивай своего «Мозера» назад.

Герасим именно это уже и пытался сделать. Но ключ не доставался.

— Кто у нас умный? — засюсюкала Варя. — Герочка. Он ключ от «Мозера» намертво засадил в «Карла Цвайса».

— Я тебя сейчас удушу! — взревел Каменное Муму и, оставив в покое ключ, кинулся на Варвару.

— Стой! — схватил его за руки Иван. — Варвара не виновата. Ты лучше ключ вытащи.

— Тогда пусть она не мешает, — рявкнул Муму.

Он было снова шагнул к часам, но Баск широкой грудью загородил ему дорогу:

— Не трожь. Я сам.

— Как хочешь. — Герасим прикинулся, будто покоряется грубой силе. На самом деле он был очень рад такому исходу. Ибо вопреки обычной самоуверенности сейчас сомневался, что справится со злосчастным ключом. Однако природа Каменного Муму все же взяла свое, и он добавил: — Отказываешься от квалифицированной помощи, так сам и ковыряйся.

Сеня слегка поковырялся. Затем, с недоумением обернувшись к Павлу, спросил:

— Слушай, как он его туда засунул?

— Сила есть, ума не надо, — не удержалась от комментария Варя.

Герасим ее слова демонстративно проигнорировал.

Сеня, еще раз посмотрев на скважину с ключом, нерешительно осведомился у Луны:

— Слушай, а как тебе кажется, может, там целесообразно чем-нибудь смазать?

— Мне кажется, лучше не рисковать, — откликнулся Павел и тоже стал сосредоточенно разглядывать скважину.

Через некоторое время он осведомился:

— Сенька, фонарик есть?

— Нет, — покачал головой тот. — Если хочешь, притащу настольную лампу с удлинителем.

— Да ты ему хоть уличный фонарь сюда притащи, — усмехнулся Иван. — Все равно это ничего не даст.

— Пожалуй, ты прав, — согласился Павел.

Он подергал ключ. Корпус часов легонько затрясся. Однако ключ от «Мозера» по-прежнему не вылез.

— Ситуация, — почесал затылок Луна.

— Лучше бы мы вообще ничего не делали, — скуксился Сеня. — Домомучительница сразу этот «Мозер» засечет.

— А кстати, она вообще по поводу «Цвайса» высказывалась? Ну, в смысле, когда он остановился? — Иван сообразил вдруг, что они ни разу не спрашивали об этом Сеню.

— Домомучительница? — посмотрел на него Баск. — Да я ей сразу тем утром и показал. А она сперва вроде как испугалась, а потом говорит: «Что ж мы с тобой теперь сделаем? И вообще, мы-то при чем? У нас ключей нет, мы ничего не трогали. Отец твой приедет, пусть сам и разбирается. А по мне даже лучше. Спать не мешает».

— Удачно, — сказал Герасим.

— Как же, удачно! — не согласился Сеня. — Теперь она ключ увидит и сразу решит, что я туда по-тихому лазил. Вот и испортил. Значит, в таком духе предку и доложит. И доказательство налицо.

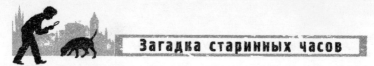

Сеня с ненавистью уставился на торчащий ключ. Затем перевел взгляд на Муму.

— Говорили же тебе: не надо. Так нет! Всех умней оказался.

— «Я, конечно, всех умней, всех умней, всех умней», — с самым что ни на есть издевательским видом пропела песню из «Трех поросят» Варя.

Герасим вдруг глухо взвыл и атаковал «Карла Цвайса».

— Не вздумай! — кинулся наперерез ему Сеня.

Однако Каменное Муму, сманеврировав, коршуном налетел на ключ и резко повернул его сперва в одну сторону, потом в другую.

— Перестань! — заорал Сеня.

Голос его заглушили триумфальные вопли Муму. Ключ вылез из скважины.

— Пусти. Не трогай, — передразнил Герасим. — Интересно, что бы вы делали без моего мощного интеллекта?

— Без твоего мощного интеллекта, Мумушечка, мы бы не стали пихать в скважину явно неподходящий ключик, — мигом нашлась Варя.

— Это еще наукой не доказано, — Герасим ощущал себя победителем.

— Зато наукой другое доказано, — парировала удар Варя. — Не зная броду, не суйся в воду.

— Хватит вам, — вмешался Павел. — Все хорошо, что хорошо кончается. Теперь попробуем эту штуку открыть.

— Только Герка пусть больше не пробует, — Баск явно испытывал большие сомнения по поводу «мощного интеллекта».

— Вот она, мера человеческой неблагодарности! — с пафосом изрек Герасим.

Отойдя в сторону, он застыл, скрестив на груди руки. Сеня начал по одному подавать Павлу ключи из сумки. Луна действовал с предельной осторожностью. Часть ключей вообще не проходила в скважину. Другие проходили, но туго, и Павел предпочитал не рисковать. Вторая атака для старой скважины могла оказаться губительной.

Несколько ключей вошли свободно, однако замок не проворачивался.

— Знаешь, Сенька, боюсь, что глухо, — разочарованно протянул Луна, когда возле него образовалась солидных размеров куча неподошедших ключей. — Там, в сумке, еще много осталось?

— Нет. Только три, — ответил Баск.

— Давай, — не глядя протянул руку Павел.

Ключи перекочевали из сумки к нему. Ребята с волнением следили, что последует дальше. Первый ключ совершенно не подошел. Второй вошел, но не поворачивался.

— Что ж, — Павел уже окончательно потерял надежду. — Последний я пробую только для очистки совести.

Он с равнодушным видом засунул ключ в скважину и повернул. Раздался щелчок. Дверца, тихонько скрипнув, распахнулась.

— Ур-ра! — с такой силой завопил Баск, что хрусталики в старинных люстрах зазвенели.

Все вмиг оказались возле часов.

— Победа, — почти шепотом произнесла Марго.

— Погодите, — не спешил радоваться Луна. — Во-первых, ключ еще может не подойти к верхней части. А это для нас самое главное.

— Должен подойти, — убежденно откликнулся Баск. — Я точно помню, что на обе был один ключ.

Павел подтащил к часам стул и, взобравшись на него, занялся верхней, застекленной дверцей, за которой поблескивал серебром и золотом циферблат. Его снова ждала удача. Замок легко отомкнулся. Теперь столовую потрясло дружное хоровое «ура». Люстры снова откликнулись звоном.

— А сейчас снова придется поработать, — объявил Павел. — Подавай мне, Сенька, круглые ключики из маленькой кучки. Я там специально отложил более-менее подходящие.

Однако на сей раз чуда не произошло. Ни ключ от «Мозера», ни остальные, столь любовно собранные в свое время Луниным-старшим, к «Карлу Цвайсу» не подошли.

— Ну все, — спустился со стула Павел.

— Что ж теперь делать будем? — с растерянным видом взирал Сеня на штырек завода.

— Можно попробовать пассатижами, — предложил Муму.

— Может, еще дрелью? — Баск покрутил пальцем у виска. — Это тебе, между прочим, не будильник «Слава», а «Карл Цвайс».

— Тебе, по-моему, надо его завести, — обиженно пробубнил Муму. — Вот я и предлагаю выход из практически безвыходного положения.

146

— Нет уж. Пусть лучше тогда продолжает стоять, — отверг Сеня вариант Муму.

— Как хочешь, — пожал плечами тот.

— Ну, Пашка, закрывать будем? — спросил Баск.

— Наверное, — откликнулся Луна.

— Погоди! — закричали девочки. — Давайте хоть посмотрим, что там внутри. Интересно ведь.

— Еще бы! — согласился Герасим и легонько покачал пальцем огромный маятник.

— Руки прочь! — гаркнул Баск.

— Пожалуйста. — Муму с оскорбленным видом отошел от «Цвайса».

Девочки с интересом принялись разглядывать внутренности корпуса. Маятник. Две увесистые позолоченные гири на позолоченной же цепи.

— Оп! — воскликнула вдруг Варвара. — А вот это явно не от часов.

И, резко присев на корточки, она подняла со дна корпуса маленькую зеленую пуговку.

Глава VIII

РИСКОВАННЫЕ ПОИСКИ

— Сомнений быть не может, — посмотрел на зеленую в темную крапинку пуговичку Каменное Муму. — Это пуговица.

— Какой же ты у нас умный! — всплеснула руками Варя. — А мы-то все, глупенькие, думали, что это портативная ядерная установка.

— Не остроумно, — буркнул Герасим.

— Вопрос в другом, — продолжала Варя. — Что это за пуговица, и как она там оказалась?

Все принялись разглядывать находку.

— По-моему, это рубашечная пуговица, — сказала Марго. — Ну-ка, Иван, дай руку.

Она задрала рукав его свитера и сравнила зеленую пуговичку с той, что была пришита у Ивана на манжете.

— По формату похожа, — согласились друзья.

— Слушай, Сенька, может, это твой предок посеял? — высказал догадку Луна.

— Ни фига, — покачал головой Баск. — Мой папандр зеленого не носит. Никогда не носит.

— Ты совершенно уверен? — задал новый вопрос Луна.

— Ну, — энергичным кивком подтвердил Сеня.

— А может, она от рубашки часовщика, который ваш «Цвайс» настраивал? — осведомился Иван.

— Тоже нет, — с уверенностью отвечал ему Сеня. — Часовщика я хорошо запомнил. На нем была белая рубашка. А к белой рубашке зеленые пуговицы, сами понимаете, не пришивают.

— А может, у вас часовщик был не простой, а дальтоник? — спросила Варя.

— К твоему сведению, дальтоники путают зеленое с красным, а не зеленое с белым, — высокомерно заявил Герасим.

— Вдруг у него какая-нибудь редкая разновидность дальтонизма? — начала было Варя, но, увидав, что лицо Каменного Муму исказилось от ярости, решила дальше не развивать эту идею. — Шучу, шучу, Герочка, — скороговоркой произнесла она.

— А потом, — сказал Сеня, — мой папандр после ухода часовщика целых полдня эти часы лично облизывал. Уж он бы пуговицу наверняка заметил.

— В таком случае я совершенно ничего не понимаю, — растерянно произнес Иван.

— А я как раз понимаю, — возразил Луна. — Пуговица появилась в часах уже после того, как в них последний раз заглядывал Виталий Семенович.

— Этого быть не могло, — отверг его версию Сеня. — Ключи-то есть только у предка. Да и некому туда было лазить. В квартире после отъезда отца только мы с домомучительницей остались. Я туда не лазил.

— Тогда остается домомучительница, — сказал Луна. — Тем более, как показала практика, ключ к «Цвайсу» подобрать вполне можно.

— Это теоретически, — заспорил Герасим.

— Ни фига не теоретически, — Иван придерживался другого мнения. — По-моему, мы с вами только что сделали это вполне практически.

— Но зачем Валентине лазить в часы? — удивился Сеня.

— Не знаю, — пожал плечами Луна.

— Кроме того, — не успокаивался Герасим, — чтобы осуществить это практически, ей нужно иметь с собой целый чемодан ключей. А может,

даже и больше. Сенька, она к вам чемодан ключей приносила?

— Нет, — покачал головою тот. — Она вообще с одной сумкой к нам въехала.

— Вот видите, — с победоносным видом изрек Герасим.

— Ничего мы не видим, Мумушечка, — ответила Варя. — Потому что Валентина Аркадьевна целый день тут сидит одна. Кто ей мешает, пока Баск в школе, притаскивать откуда-нибудь штук по десять ключей? Одни не подошли, отправляется за другими и действует в том же духе, пока не подберет.

— В таком случае ей и подбирать не нужно, — сообразила Марго. — Смотрите. У нее днем полно времени. Значит, можно вообще кого-нибудь привести, кто умеет обращаться с замками.

— Если она кого-нибудь приводила, это легко проверить, — уверенно произнес Сеня.

— Каким образом? — не дошло до остальных.

— По книге посетителей, — объяснил Сеня. — Вас же записывают, когда вы ко мне идете.

— Точно! — Иван хлопнул себя по лбу. — Здесь же в подъезде охрана.

— Об этом и речь, — подтвердил Баск. — Посидите, а я сейчас сбегаю вниз и спрошу.

Он убежал. Ребята продолжали задумчиво разглядывать часы.

— Предположим, мучительница и впрямь туда лазила, — медленно начал Павел. — Но зачем?

— У меня пока только одна версия, — усмехнулась Варя. — Она решила сломать часы, чтобы подставить Баска.

— Паранойя. — Луне не верилось в такое.

— А если ею движет ненависть? — высокопарно произнес Герасим.

— Что ей Баска-то ненавидеть? — удивился Иван. — Он вроде ей не хамит и вообще побаивается.

— Не похоже, — согласилась Марго. — Глупость какая-то, Баску мстить.

— Зато на другое похоже. — В голове у Ивана вдруг в мгновение ока выстроилась вполне логичная версия. — Эта домомучительница действует по заданию.

— Иностранной разведки? — фыркнула Варя.

— Совсем нет, — отмахнулся Иван. — Она внедрилась сюда по заданию конкурентов Виталия Семеновича.

— Нда-а, Ваня, — фыркнула Варвара. — И за что только наш Луна прозвал тебя Пуаро? По-твоему, господам нефтяным олигархам больше нечего делать, как с помощью специально внедренных домработниц ломать друг другу, а верней, враг врагу, антикварные часы.

— Слушай, Варька, заткнись! — прикрикнул Иван. — Я ведь серьезно. И дело тут совсем не в антикварных часах. То есть, конечно, и в них тоже. Но суть совершенно в другом. Думаю, в эти часы запрятали подслушивающее устройство.

— Что-о? — уставились на Ивана друзья.

— Погоди, — перебил Павел. — Ведь Баскаковы здесь почти не живут. Какой смысл ставить
«жучок»? Уж тогда бы логичней прослушивать их
загородный дом.

— Во-первых, где гарантия, что там тоже не
прослушивают? — Ивана ничуть не обескуражи-
ли его возражения. — А во-вторых, Сенька ведь
говорил: его предки именно здесь и именно в этой
комнате устраивают деловые обеды. А возможно,
и встречи с партнерами по бизнесу.

— Значит, по идее, и нас сейчас тоже могут
прослушивать? — встревожилась Маргарита.

Ребята в ужасе посмотрели друг на друга. Луна, прижав палец к губам, поманил всю компанию в коридор. А когда все туда вышли, на всякий
случай плотно затворил дверь в гостиную. Но и
после этого ребята предпочитали говорить шепотом.

— Марго, — продолжал Иван. — А камушки-то
твои все точно предсказали. Сеньке опасность.
Отцу — неприятности. И, главное, теперь ясна
связь с часами.

— Слушайте, а что делать-то будем? — спросил Муму. — Может, пока нет Сеньки, поищем это
подслушивающее устройство?

— Пошли, — согласился Павел. — Только молча. Учтите: каждое наше слово может быть услы-
шано. Мы и так чересчур много в столовой бол-
тали.

— Может, они не все время слушают? — с надеждой произнесла Марго.

— Вполне допускаю, — согласился Павел.

— По идее, они вообще должны активизироваться, только когда тут возникнет Сенькин предок, — добавил Иван. — Какая им польза Баска подслушивать?

— Для тренировки, — сказал Муму. — Они пихнули в часы «жучка». А теперь должны как следует опробовать технику. И, если что не так, отладить аппаратуру. Чтобы к приезду Сенькиного отца все работало четко. Потом-то у них не будет возможности снова залезть в часы.

— Откуда же они подслушивают? — спросила Варвара.

— Да откуда угодно, — начал объяснять Павел. — Например, из машины, из дома напротив или из соседней квартиры.

— Ужас какой, — поежилась Маргарита.

Впрочем, и остальным тоже стало не по себе. Они построили сразу несколько версий насчет «Карла Цвайса». Если их действительно кто-нибудь слушал, то явно понял: Команда отчаянных что-то подозревает. Мало того, они забрались внутрь часов. А значит, по идее, могут найти «жучок». Или поставить кого-нибудь в известность о своих подозрениях. Словом, для организаторов прослушки Команда отчаянных — нежелательные свидетели.

— Ребята, — с тревогой произнес Павел, — нам надо срочно выяснить, правы мы или нет. Если «жучок» найдется, будем принимать срочные меры. Иначе и нам, и Сеньке кранты. Вы, девчонки, оставайтесь в коридоре. Как только Баск вернет-

ся, сразу все ему расскажете. Остальные — за мной.

Он отворил дверь в гостиную. Трое мальчиков на цыпочках прокрались к часам и по очереди сантиметр за сантиметром обследовали корпус. Внутри, однако, ничего больше не обнаружилось.

Павел развел руками и жестом поманил друзей обратно в коридор. Выйдя туда, они стали свидетелями весьма выразительной сцены. Сеня вернулся и стоял в передней. Слева от него находилась Маргарита. Справа — Варвара. Девочки одновременно что-то шептали ему в оба уха. Баск, часто моргая, с растерянным видом слушал.

Завидев мальчиков, он, заикаясь, спросил:

— Эт-то п-правда?

— На сто процентов мы пока не уверены, — ответил Павел.

— Однако других объяснений пока не находим, — произнес Муму с таким важным видом, словно это была его собственная версия.

— Лучше скажите, нашли или не нашли? — поинтересовались девочки.

— Пока нет, — отвечал Иван.

— А вы хоть знаете, как это должно выглядеть? — внимательно смотрела на мальчиков Варя.

Те помолчали. Затем Герасим сказал:

— Такие вещи могут выглядеть совершенно по-разному.

— Верно, — поддержал Баск. — Сейчас техника на грани фантастики. «Жучок» можно сделать размером с булавочную головку. Ищи ее в этом «Цвайсе». Пошли еще раз посмотрим.

— Только, чур, не болтать, — снова предупредил Павел.

На сей раз поиск предприняла вся компания. Баск даже приволок из отцовского кабинета огромную лупу и с ее помощью обследовал стыки корпуса. Однако все было тщетно. Присутствия «жучка» не обнаружилось.

Павел вновь поманил друзей в коридор. Когда они оказались там, Луна спросил:

— А что, Баск, охранники сказали? Домомучительница кого-нибудь приводила?

— Не-а, — ответил Сеня. — Сама входила и выходила. Но больше к нам не наведывалось ни души.

— Значит, в одиночку орудовала, — заключил Павел.

Теперь его слова никого не удивили. Если Валентина Аркадьевна была внедрена к Баскаковым специально, то уж наверняка умела вскрывать замки старинных часов.

— Я только одного не понимаю, — задумчиво сказала Марго. — Какой смысл ради «жучка» лезть в часы? Ведь это все-таки риск. Вон Валентина что-то там стронула. В результате часы остановились. Приедет, Сеня, твой предок, и это наверняка привлечет его внимание. Не проще ли было запихнуть «жучок» под обои или в обивку кресла. Да мало ли еще у вас в столовой подходящих мест.

— Мест много, — согласился Баск.

— И все-таки Валентина или те, кто за ней стоит, выбрали «Карла Цвайса». — Луна потер указательным пальцем переносицу.

— Ну, может, у них были какие-нибудь технические соображения, — откликнулся Иван. — Только как нам этот «жучок» обнаружить?

— Только с помощью специального прибора, — ответил Баск. — Предок в наш загородный дом каждую неделю специального мужика вызывает, чтобы исключить возможность подслушек.

— И этот специальный мужик хоть раз что-нибудь у вас находил? — поинтересовался Герасим.

— Вообще-то мне не докладывали, — сказал Баск. — Но, думаю, находил. Иначе зачем моему папандру зря с ним связываться.

— Что-то у нас, по-моему, не стыкуется. — В голосе Павла послышалась досада. — Понимаете, если Сенин предок раз в неделю чистит от «жучков» свой загородный дом, значит, и здесь перед важными встречами наверняка бывает тот же специальный мужик. И наверняка всем это известно. А в таком случае зачем конкурентам идти на совершенно напрасные ухищрения? Ну, врубила сейчас домработница «жучок» в «Карла Цвайса». А как раз, когда он потребуется, специалисты его и вытащат.

— Точно, — поддержал его Иван. — И тогда, Сенька, конкурентам твоего папандра будет еще труднее.

— Я не пойму, — набычился Баск, — ты что, их жалеешь?

— И не думаю, — улыбнулся Иван. — Просто, как сказал бы наш дорогой Муму, мыслю логически и в контексте. И пытаюсь поставить себя на место тех, кто копает под твоего предка. И вот получается, что если Виталий Семенович засечет «жучок», то после предпримет повышенные меры безопасности.

— Предпримет, — энергично кивнул Сеня.

— А может, Валентина вовсе и не «жучок» в «Цвайс» запихнула? — спросила вдруг Варя.

— Что еще, кроме «жучка»-то, можно? — не понимал Сеня.

— Ну, например, взрывное устройство, — не слишком уверенно ответила Варя.

— Взрывное устройство? — Баска разобрал смех. — Это тебе, Варька, не «жучок». Тут гораздо больше места требуется. Где же оно, по-твоему, лежит?

— Не знаю. — Варвара слабо себе представляла, как должно выглядеть взрывное устройство.

— Кстати, Баск, — вмешался Герасим, — напрасно ты думаешь, что взрывчатка обязательно должна занимать много места. Я один фильм смотрел. Так в нем мужика поздравительной открыткой угрохали.

— Каким образом? — спросил Сеня.

— Ну, открытки, знаете, такие продаются. Музыкальные. Раскрываешь их, а они играют мелодию. А в той открытке вместо микрочипа с мелодией было взрывчатое вещество с детонатором. Мужик открытку развернул, и привет. Рожки да ножки остались.

Сеня перепугался. Он молча взирал на Герасима.

— Да мы весь корпус осмотрели, — напомнила им Маргарита. — Там ничего нет. А любое взрывное устройство все-таки больше, чем самый маленький «жучок». Уж это мы бы обнаружили.

— Не только обнаружили, — с уверенностью заявил Луна. — Оно бы наверняка уже взорвалось. Такие маленькие устройства обычно представляют собой очень простые конструкции. В данном случае, например, взрыв должен бы произойти после открытия дверцы, но ведь все было тихо.

— Павел, — спросила Марго, — а ты не думаешь, что это устройство должно сработать при заводе часов?

— Верно! — воскликнул тот. — Как же я раньше не догадался. Ведь Сенькин отец, как только узнает, что часы встали, тут же попытается их завести. Значит, Валентина именно для того туда и лазила, чтобы остановить их.

— А взрывное устройство где? — спросила Варвара.

— Сами не догадываетесь? — Луна посмотрел на друзей.

Никто ему не ответил.

— Сенька, — продолжил Луна, — помнишь, ты нам рассказывал, что «Карл Цвайс» был сдвинут.

Баск кивнул.

— Так вот, там взрывное устройство и находится, — сказал Луна.

— Где «там»? — уставился на него Герасим.

— На задней стенке корпуса, — ответил Павел.

— Будем двигать, — Баск решительно шагнул к часам.

— Не вздумай, — предостерег его Иван. — Вдруг сработает.

— А мы аккуратненько, — настаивал Сеня. — Чуть-чуть отодвинем и только поглядим, есть там что-то или нет. Ребята, помогайте.

— Девчонки остаются здесь, — тоном, не допускающим возражений, скомандовал Павел.

— Это еще почему? — запротестовала Марго.

— Мы тоже хотим двигать, — добавила Варя, хотя ей в глубине души хотелось оказаться как можно дальше от часов со смертоносной начинкой.

— Нет, вы тут больше нужны, — Сеня поддержал Павла. — Оставайтесь у двери и караульте домомучительницу. Вдруг она раньше времени припилит домой. Будете тогда заговаривать ей зубы, пока мы со всем не управимся.

Девчонки подчинились. Оставив их в передней, ребята вошли в столовую и осторожно приблизились к часам.

— Погоди-ка, Пашка, это что же получается? Если бы мы подобрали нужный ключ и начали заводить часы, нас бы ахнуло? — только сейчас сообразил Сеня.

— В том-то и дело, что запросто, — глухо откликнулся Луна.

— А этот еще: «Пассатижами, пассатижами», — Баск с такой неприязнью покосился на Ге-

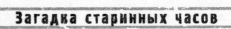

расима, словно именно он подложил взрывное устройство в часы.

— Я-то чем виноват? — обиделся Муму. — Между прочим, вместе с вами бы и ахнул.

— Нет, ты ахнул бы самым первым, — уточнил Луна, — потому что находился бы со своими пассатижами возле самого циферблата.

У Герасима по спине побежали мурашки. О таком даже думать было страшно.

— Ну, — посмотрел на часы Сеня, — двигаем?

— Только совсем чуть-чуть, — поставил условие Муму.

— Думаю, что чуть-чуть будет как раз ничего. — Луна больше утешал себя, нежели остальных.

— Давайте рискнем, — настаивал Баск. — Мне нужно наверняка знать, прилеплено там что-то или нет. Навались, ребята.

Четверо друзей, стараясь не думать о возможных последствиях, аккуратно отодвинули часы от стены.

— Черт ее знает, как она одна их сумела сдвинуть, — удивился Сеня.

Герасим в это время уже внимательно разглядывал заднюю стенку.

— Сенька. Тут чисто.

— Правда? — обрадовался Баск.

— Смотрите сами, — Герасим отошел в сторону.

Задняя стенка и впрямь оказалась абсолютно гладкой. Лишь в середине была вырезана большая и ровная цифра 2.

— Может, где-нибудь к днищу прикреплено? — предположил Иван.

— Ты что! — воскликнул Сеня. — Ну отодвинуть часы Валентина с трудом бы смогла. А положить их на бок в одиночку совершенно невозможно.

— А если в механизм засунула? — предположил как последнюю возможность Луна. Снова взобравшись на стул, он вооружился лупой и, стараясь ни к чему не прикасаться, все тщательно осмотрел.

— Однозначно сказать не могу, — заявил он, наконец спустившись на пол. — Вроде бы ничего подозрительного не видно. Но кто знает, что там внутри находится. А раскрывать их, если честно, я боюсь.

— Что же теперь делать? — уныло осведомился Муму.

— А ничего, — развел руками Сеня. — Пока ты, Луна, там с лупой возился, я вот что сообразил. Им, по идее, нужен папандр. А он вернется еще дней через десять. Поэтому Валентина могла вообще пока только место присматривать. А взрывное устройство заложит позже.

— Вполне вероятно, — допускал Павел. — Во всяком случае, логика в этом есть. Зачем зря подвергать себя опасности?

— Но даже если все уже готово, — продолжал Баск, — то пока тоже ничего страшного. Главное, предка предупредить.

— Верно, — кивнули друзья.

— А еще мой тебе совет: пореже ходи в эту комнату, — назидательно произнес Герасим. — Целее будешь.

Глава IX

СЕНИНА НАХОДКА

— Кстати, и нам нечего лишнее время тут торчать, — подхватил Иван.

— Вот-вот, — Муму обрадовался поддержке. — Пошли в гостиную. Все же подальше от «Цвайса».

— Можем и ко мне в комнату, — предложил Баск. — Это совсем далеко.

— Точно, — вмешался Павел. — Кстати, и тебе, Сеня, советую: когда находишься дома, сиди в своей комнате. Так сказать, на войне как на войне.

— Да я, когда один, в основном у себя и сижу, — внес ясность Сеня.

Все четверо вышли к коридор.

— Девчонки, айда ко мне в комнату, — распорядился Сеня.

— Нашли? — мигом подбежали к ним Марго и Варя.

— Нет, — с важностью ответил Герасим. — Но как бы все равно что нашли.

— Слушай, Мумушечка, — Варя закружилась на вертящемся кресле в комнате Баска. — Как бы не будешь ли так любезен как бы нам с Марго объяснить, что ты как бы имел в виду?

— Не вижу причины для издевательств, — надулся Герасим.

— Ребята! — взмолилась Марго. — Потом отношения выясните. А сейчас расскажите скорей, в чем там дело.

— Там, по всей видимости, дело серьезное, — опасаясь, как бы Муму вновь не вступил в полемику с Варей, скороговоркой произнес Иван. — Камушки твои, Маргарита, не врали: Баскаковым и впрямь грозит опасность.

— Откуда вы знаете? — Марго пока ничего не понимала.

— Мы не знаем, но подозреваем и чувствуем, — снова заговорил Герасим.

— Во всяком случае, это единственное разумное объяснение, — добавил Луна. — Домомучительница зачем-то лазила в часы, но внутри мы ничего не обнаружили.

— Если этого, конечно, нет в механизме, — подхватил Ваня. — Но туда мы лезть не рискнули. Просто пришли к выводу, что Валентина или ищет место для взрывного устройства, или уже поместила его в часы, но сработает оно все равно не раньше, чем вернется Сенькин отец.

— Логично, — согласилась Варя.

— А если эта штука случайно сработает раньше? — забеспокоилась Марго.

— Будем надеяться, что тут действуют профессионалы высокого класса, — ответил Павел.

— Ну а если все-таки невысокого? — Марго по-прежнему тревожилась за жизнь Баска.

— Даже если и невысокого, — отозвался Иван, — на фига им подвергать опасности своего собственного агента — Валентину?

— Ты не о том говоришь, — перебил его Муму. — На нее им как раз, может, и наплевать. Но если взрывное устройство шуранет раньше времени, то в ближайшее время они вряд ли смогут добраться до Сенькиного отца.

— Верно, — несколько успокоилась Маргарита.

— А потом, мы с Баском договорились, что он постарается до приезда предка проводить время в основном у себя в комнате, — сказал Иван.

— Слушай, а может, тебе все-таки отца вызвать? — спросила Марго. — Я бы на твоем месте именно так и сделала.

— Нет, — покачал головой Баск. — Не стану я пока вызывать его. У нас ведь нет никаких доказательств. А если мы с вами ошиблись?

— Мы не ошиблись, — твердо изрек Герасим.

— Ну, не ошиблись. — Баск предпочел не вступать в споры. — Но если Валентина и впрямь только присмотрела место для взрывного устройства, а заложить его собирается только в последний момент? Вызову я предков. Они припилят сюда от своих кенгуру. Папандр весь дом поднимет на ноги, а в «Цвайсе» ничего нет. Прикиньте, какое он тогда харакири мне сделает.

— Харакири делают себе сами, — немедленно уточнил дотошный Герасим.

— Вот я сам себе и сделаю, — с трагическим видом произнес Сеня. — Потому что больше мне ничего в этой жизни не останется. Я как мыслю?

Папандр, значит, припилит, ни фига не найдет. А Валентина, чтобы выкрутиться, естественно, покатит баллон на меня. Мол, я сначала полез в часы, сломал их, а потом шизанулся от страха и придумал всю эту чушь со взрывчаткой. Ну и сами понимаете... — Сеня выдержал короткую, но крайне драматичную паузу. Затем с надрывом произнес: — После этого Валентина спокойно умотает к своим сообщникам, а ко мне будут применены самые суровые экономические и физические санкции.

— Да-а, — покачала головой Варвара. — Это, Баск, обойдется тебе гораздо дороже крыши.

— И сравнивать нечего! — с ужасом воскликнул Сеня. — Прерванный отдых — раз, — принялся загибать пальцы он. — Испорченный «Цвайс» — два. Моральная травма — три. Причем папандр вычтет и за себя, и за мать, и за оскорбленное достоинство домработницы.

— Все! Можешь не продолжать! — остановили его друзья. — После такого и впрямь остается только харакири.

— Так что пока пусть будет как есть, — подвел итог Сеня. — А за домомучительницей я послежу. Обнаружу улики, тогда можно вызвать предков.

— Ты с Валентиной поаккуратней, — предостерегла Варя. — Если вдруг не ты обнаружишь улики, а она почувствует слежку, тебе Сенька, капут.

— Верно, — поддержал Павел. — Пойми: ей тогда терять будет нечего.

— Знаю. Не маленький, — ответил Баск.

— И вот еще что, — сообразил Иван. — Не расставайся с телефоном. Если тебе хоть чем-то покажется подозрительным поведение Валентины, сразу звони.

— Хорошо, — согласился Сеня.

— А, кстати, откуда вообще у вас эта тетка появилась? — спросила Марго. — Почему тебя вдруг решили оставить на совершенно постороннего человека?

— Да она не совсем посторонняя, — принялся объяснять Баск, — то есть я раньше ее не знал. Но она уже несколько лет ведет хозяйство у маминой подруги в соседнем подъезде. Она и сейчас туда ходит на несколько часов в день. Со мной-то хлопот почти никаких. А так ей даже удобней. Потому что обычно ей приходится к этой подруге моей матери через весь город тащиться. У Валентины квартира где-то у черта на рогах.

— Понятно. Сразу два оклада получает, — мигом скалькулировал Муму.

— Значит, подруга матери рекомендовала, Валентину и взяли, — подвел итог Павел.

— Именно, — подтвердил Баск.

— Слушай, — Иван внимательно посмотрел на него. — Может, муж подруги все и организовал против твоего отца?

— Вряд ли, — не верилось Сене. — Они вроде с моим предком по делам не пересекаются. У него совсем другой бизнес. Хотя кто их знает? Но это пусть они сами потом выясняют.

Из передней послышались сперва хлопок двери, затем голос домработницы:

— Сеня, ты дома?

— Ага, — откликнулся мальчик.

— По-моему, нам пора, — обратилась Марго к друзьям.

Павел кивнул.

— Не будем будить в ней зверя. Значит, — понизив голос, сказал он Сене, — в случае чего сразу звони.

И Команда отчаянных высыпала в переднюю. Домомучительница, сидя на табуретке, стаскивала сапоги.

— Здравствуйте, Валентина Аркадьевна! — постарались как можно вежливей поприветствовать ее ребята.

Женщина кивнула и, пристально глядя на гостей Баска, с какой-то неестественной улыбкой произнесла:

— Я смотрю, вы к Сенечке зачастили.

— Ну... — Баск выдавил из себя столь же неестественную улыбку. По выражению его лица можно было подумать, будто из ботинка у него внезапно вылез гвоздь и впился в ногу. — Когда ж им еще ко мне приходить? Ведь обычно я здесь почти не бываю.

— Вот и хорошо — пусть приходят. — Валентина Аркадьевна, похоже, справилась с охватившей ее досадой.

— Только сейчас мы как раз не приходим, а уходим, — счел своим долгом сообщить Герасим. — Всего хорошего и счастливо оставаться.

— А куда вы, собственно, так торопитесь? — Валентина Аркадьевна неожиданно ласково

улыбнулась ребятам. — Меня, что ли, испугались? Если так, то совершенно напрасно. Я как раз очень рада, что вы Сенечку навещаете. По крайней мере, ему не скучно.

«Рада она. Держи карман шире, — подумал Герасим. — Может, что-нибудь заподозрила и хочет теперь у нас выведать, так это или не так? Наверняка хочет. Иначе на кой мы сдались ей».

— Оставайтесь. Оставайтесь, — словно отвечая на мысли Каменного Муму, продолжала домомучительница. — Я вам сейчас чайку сделаю. Сеня-то, наверное, ничем вас угостить не догадался.

Ребята в нерешительности переминались возле огромной старинной вешалки. Поведение Валентины Аркадьевны все сочли подозрительным. И каждый из ребят хотел выяснить, в чем дело. А Сеня к тому же совершенно не торопился остаться один на один в квартире с домомучительницей.

— Ребята, да посидите еще, — принялся уговаривать он.

— Посидите, посидите, — вновь подхватила Валентина. — Сейчас я все сделаю, накрою в столовой и вас позову.

При упоминании о столовой ребята поежились.

— Нет, Валентина Аркадьевна, — немедленно нашелся Баск. — Зачем вам в столовую все таскать, а потом из столовой обратно? Мы вполне можем посидеть прямо на кухне.

— Конечно, на кухне лучше! — поддержала его Варя. — А то в этой столовой слишком официально.

— Как хотите. Мне же проще. — Валентина Аркадьевна, кажется, осталась вполне довольна. — Вы тогда пока к Сене идите, а как все будет готово, я вас позову.

Ребята направились в комнату Баска. Павел вошел последним и плотно прикрыл массивную дверь.

— Братцы. Она что-то подозревает.

— Я тоже так думаю, — согласился Герасим.

— А может, просто гостеприимство решила проявить? — предположила Маргарита. — Ведь в прошлый раз она из-за Фани нас просто фактически выставила.

— Ну и что такого, — пожал плечами Сеня. — Убираться-то ей.

— Это ты так думаешь. — Варя поняла, куда клонит подруга. — А домомучительница могла потом испугаться. Вдруг ты предку нажалуешься, что она всех твоих друзей разогнала. Вот ей и захотелось загладить вину перед нами.

— Нет, — упрямо сказал Герасим. — Она нас подозревает.

— Если так, — предположил Павел, — то сейчас за чаем она начнет у нас что-нибудь выведывать. Вот мы с вами и совместим приятное с полезным. Перекусить никогда не вредно, а выяснить, насколько опасна домомучительница, нам просто необходимо.

— Ребята, идите! — Валентина Аркадьевна оказалась легка на помине.

Павел откликнулся на призыв первым. И, как полководец, возглавил шествие на кухню. Едва взглянув на стол, он в предвкушении удовольствия потер руки.

— Пирожки! Сенька, чего ж ты раньше молчал?

— Времени не... — начал было Баск, но осекся.

— Садитесь, садитесь, — хлопотала возле ребят Валентина Аркадьевна.

Команда отчаянных глазам и ушам своим не верила. Домомучительницу точно подменили. Сейчас она была воплощением радушия и гостеприимства.

— Тут пирожки с капустой, а тут с мясом, — указала она сперва на одно, а затем на второе блюдо. — Уж не знаю, как вам понравятся. Сама пекла.

Ребята накинулись на угощение. Пирожки оказались что надо. Как отметил про себя Луна, «ничуть не хуже, чем у бабушки Марго». И еще он невольно подумал: «Если бы эта домомучительница не задумала какого-то ужаса с часами, ей просто цены бы не было».

Однако по мере убывания содержимого обоих блюд к Луне начало возвращаться здравомыслие. Теперь, украдкой разглядывая щебечущую почти без умолку Валентину Аркадьевну, мальчик думал совсем о другом. Не подними Сенька панику с часами, никому бы не пришло в голову заподозрить домработницу в преступных намерениях.

Тетка себе и тетка. Тот, кто не знает, легко мог бы предположить, что это Сенькина бабушка.

Домомучительница, при всем своем многословии, не задала ни единого коварного или даже подозрительного вопроса.

К концу чаепития ребята совсем расслабились и даже с удовольствием смеялись над ее шутками.

Квартиру Баска они покинули в полном недоумении.

— Может, нам все показалось? — выйдя на улицу, спросила Марго.

— Тогда кто же, по-твоему, лазил в часы? — ответил вопросом на вопрос Иван.

— Ох, — Марго схватилась за голову. — Спроси что-нибудь полегче.

— Наивные вы люди, — высокомерно глянул на них с высоты своего роста Герасим. — Вас ничего не стоит обвести вокруг пальца. Поговорили с вами ласково, покормили, и порядок.

— Чья бы корова мычала, Мумушечка, — не замедлила с колкостью Варя. — Кто, интересно, только и твердил: «Ах, спасибо, Валентина Аркадьевна! Ах, пожалуйста, Валентина Аркадьевна!» — она мастерски сымитировала интонации Герасима.

— Дура, — буркнул Муму. — Это я для конспирации.

— Да-а, да-а, — протянула Варвара. — И пирожки вы с Луной на пару смолотили тоже исключительно для конспирации. Мне, Ване и Марго почти ничего не досталось.

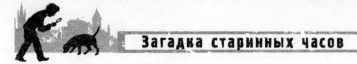
— Это потому что мы плохие конспираторы, а вы хорошие, — усмехнулся Луна.

— Знаете, а мне почему-то не смешно, — сумрачно произнесла Маргарита. — Ведь если мы правы, то мне за Сеньку просто страшно.

— Сенька обещал соблюдать осторожность, — напомнил Иван.

— Обещать-то он обещал, — покачала головой Марго. — Но кто знает, что может выйти на самом деле.

— На самом деле, — откликнулся Муму, — все страшное начнется после того, как Баскаков-старший приедет. Ведь цель-то — явно он. Но Сенька предупредит его.

— Будем надеяться, — вздохнула Марго. На душе у нее по-прежнему скребли кошки, а она привыкла доверять своим ощущениям. — Понимаете, мне все время кажется, будто мы что-то важное упустили.

— Да вроде бы нет, — возразил Луна.

— По логике, нет, — согласилась Марго. — И все-таки что-то не так. Мне прямо не по себе.

— Слушай, какая-то ты в последнее время слишком впечатлительная стала, — стремясь успокоить девочку, нарочито бодрым тоном сказал Иван.

— Тебе так кажется? — сердито поджала губы Марго. Ей немедленно вспомнилось, как Иван сегодня утром пылко защищал Дятлову.

— Да не обижайся ты, — смутился Иван. — Ничего с Баском страшного не случится. И вообще, может, мы еще ошибаемся.

Марго лишь раздраженно передернула плечами. Пуаро своего добился. Тревога за Баска хоть и не до конца оставила девочку, но померкла. Ее почти полностью вытеснило возмущение вероломным Иваном. Поэтому, когда они прощались в лифте, Марго была подчеркнуто холодна...

Около десяти вечера в квартире Луниных зазвонил телефон. Павел поднял трубку.

— Луна, это я, — послышался срывающийся голос Баска. — Только не перебивай. Я узнал, зачем ей «Цвайс». Только меня застукали. Я у себя забаррикадировался. Не знаю, сколько продержусь. Срочно вызывай помощь. Пиши телефон отца.

Луна схватил со стола бумагу и ручку:

— Диктуй.

Баск продиктовал длинный номер. Павел хотел спросить, что все-таки обнаружил Сенька, но тут в трубке послышались грохот, вопли. Затем связь прервалась.

Глава X

«КАРЛ ЦВАЙС» РАССТАЛСЯ С ТАЙНОЙ

Луна с минуту остолбенело слушал частые гудки в трубке. Затем, кинув ее на рычаг, бросился в комнату к отцу:

— Папа, беда, надо Сеньку спасать! Иначе домомучительница его убьет!

Иннокентий Петрович, лениво подняв глаза от книжки, которую с увлечением читал весь вечер, осведомился:

— Ты имеешь в виду Баскакова? Что он теперь натворил?

— Да он ничего! — возопил Луна. — Это все его домработница! Она взрывчатку в часы заложила! На. — Павел сунул в руки отцу бумажку с телефоном Баскакова-старшего. — Звони ему срочно в Австралию. А я сейчас буду по твоей «сотке» звонить Безвинному.

Начальник местного отделения милиции Николай Лукич Безвинный уже множество раз помогал Команде отчаянных во время расследований. Вот почему, едва услышав его фамилию, Иннокентий Петрович понял: дело серьезное.

— Знаешь что, милый мой, — постарался как можно спокойнее произнести он. — Давай-ка выкладывай все по порядку, но быстро. Иначе я никуда звонить не стану.

— Папа! — взмолился сын. — Это длинная история. А времени нету. Баска вообще ведь могут убить.

— Но как же я, ничего не зная, позвоню его отцу? — была своя логика у Иннокентия Петровича. — Что я ему скажу?

— Скажешь: Сенька в опасности в собственной квартире. На него напала домработница, потому что он просек, что она заложила в «Карла Цвайса» бомбу.

— В какого еще Карла Цвайса? Кто он такой? — Лунин-старший мало что понял из объяснения сына.

— Это часы такие! — скороговоркой выпалил Павел. — Давай сюда срочно «сотку».

— Звони своему Безвинному, — покорился натиску отец. — Может, и впрямь больше толка будет.

Несколько часов спустя в столовой у Луниных сидел Сеня Баскаков. Несмотря на то что мать Павла укутала его теплым пледом, Сеню всего трясло. Выбивая дробь зубами, он сбивчиво рассказывал обо всем, что произошло после ухода друзей.

Сперва Баск, как и было условлено, направился в свою комнату и собирался провести там остаток вечера. От нечего делать он было принялся за уроки. Однако сосредоточиться на задачах по алгебре никак не мог. Мысли его витали совсем в другой плоскости.

Если домомучительница все же успела запихнуть заряд в часы, то как бы не получилось, что он, Сеня, не успеет предупредить отца. Ведь это они с ребятами предполагают, что рвануть должно только после того, как предок примется заводить «Цвайс». А если у Валентины, например, дистанционник? Тогда, скажем, предок вернется, а Валентина для собственной безопасности выскользнет на лестницу, нажмет на кнопочку и… О дальнейшем Сеня боялся даже и думать. Однако и пускать события на самотек не собирался.

Тихонько отворив дверь в коридор, он прислушался. В комнате Валентины громко работал телевизор. Судя по разноголосым, но одинаково надрывным воплям, домомучительница смотрела

какой-то очередной любовный сериал. «Молодец, — мысленно похвалил ее Баск. — Лучше и не придумаешь». Однако прежде чем отправиться в столовую, он решил проверить, действительно ли Валентина сидит у себя.

По пути мальчик заметил, что в хозяйственной комнате ярко горит свет. «Неужели стирает или гладит? — пронеслось в голове у Сени. — Но на фига тогда телевизор включала?»

Он осторожно заглянул внутрь. Никого. Зато на гладильной доске лежала темно-зеленая ночная рубашка. «Зеленая», — пронеслось в голове у мальчика. Он мигом достиг гладильной доски. На рубашке были точно такие же пуговицы, как та, что нашлась в часах, и на левом манжете одной из двух не хватало.

Последние сомнения исчезли: в часы лазила именно Валентина. Не успел Баск переварить это открытие, как его ждало другое, пожалуй, еще более ошеломляющее. На спинке ночной рубашки красовалась аппликация — огромный белый медведь. «Вот вам и «дух часов», — отметил про себя мальчик. — Просто той ночью Валентина от меня смывалась».

Сеня испытывал двойственное чувство. С одной стороны, возникла определенность. Теперь он точно знал: никому ничего не кажется. Валентина Аркадьевна и впрямь вынашивает какие-то скверные замыслы. С другой стороны, Сене сделалось гораздо страшнее, чем прежде. Ибо одно дело предполагать, а совсем другое — выяснить наверняка, что в квартире с тобой один на один находится коварный враг.

Быстро покинув хозяйственную комнату, мальчик снова прислушался. Из комнаты Валентины по-прежнему неслись вопли. Кто-то, всхлипывая и стеная, объяснялся кому-то в любви.

«Гляди, гляди подольше», — словно гипнотизировал домомучительницу Сеня. Он подкрался к Валентининой двери и заглянул в щелочку. Она сидела в кресле, уставившись в телевизор, и, похоже, была изрядно увлечена.

— Вот и смотри, — шепнул себе под нос Сеня и отправился в столовую.

Там он принялся миллиметр за миллиметром осматривать и ощупывать корпус часов. Конечно, они с ребятами днем уже это делали. Но нижняя часть корпуса была покрыта изысканной резьбой. Вдруг они там прошляпили какие-нибудь сверхтонкие проводки.

Неожиданно раздался щелчок. Едва не ударив Сеню по носу, из часов выехал длинный, но плоский ящичек. Глянув на его содержимое, Баск замер. В ящике под толстым слоем пыли лежало множество драгоценностей. Разноцветные камни тускло поблескивали под светом люстры.

Не успел Сеня еще ничего сообразить, как за спиной его раздался истошный и яростный вопль. Лежавший на ковре перед ящиком мальчик обернулся. Над ним нависла Валентина Аркадьевна. Лицо ее сейчас было белым и страшным. Глаза горели огнем безумия. Рот раскрылся в хищном оскале.

— Мое, — прохрипела она.

Сеня, совершенно не думая, что делает, инстинктивно толкнул ящик. Тот мигом ушел в корпус часов. Словно его никогда и не было.

Домомучительница закричала, как раненый зверь, и бросилась на Сеню. Тот, ловко перекатившись несколько раз через себя, вскочил на ноги и устремился к собственной комнате. Влетев туда, он успел закрыть дверь на задвижку. Домомучительница яростно билась в нее снаружи. Баск, опасаясь, что задвижка долго не выдержит, принялся сдвигать к двери всю немногочисленную мебель, которая была в его комнате.

Все это время Валентина Аркадьевна продолжала яростно биться в дверь, выкрикивая ужасные угрозы. Внезапно все смолкло. Сеня подошел к двери, прислушался. Из коридора доносились лишь звуки телевизора.

«Она что-то задумала», — у мальчика не осталось никаких сомнений. Он понимал, что над ним нависла нешуточная опасность. Теперь было ясно: дело совсем не во взрывном устройстве. Домомучительница охотилась именно за драгоценностями, которые спрятаны в «Цвайсе». А он, Сеня, оказался у нее на пути. И по всему ее поведению видно: теперь она не отступит от задуманного. И счастье еще, если она просто заберет их и смоется. Но захочет ли она оставлять свидетеля? И сможет ли, в конце концов, самостоятельно открыть тайник? Судя по тому, сколько дней она вела напряженные поиски, точное местонахождение сокровищ ей было неизвестно.

«Что же делать? Что делать? — метался по комнате Баск. — Телефон в коридоре». Тут Сенин взгляд упал на школьный рюкзак. Мальчик вытряс все его содержимое на кровать. К счастью, мобильник оказался на месте.

Сеня хотел набрать номер Луны, но в коридоре послышался голос домомучительницы и еще один — мужской. «Привела сообщника», — мигом сообразил мальчик и вместе с телефоном нырнул в стенной шкаф.

Едва ему удалось сообщить все Павлу, как дверь с треском вылетела. Баррикада рассыпалась. Сеня запрятал «сотку» в карман висевшего над головой пиджака. «Только бы не догадались, что я звонил!» Дверь шкафа распахнулась. Перед изумленным Сеней предстали Валентина и... тот самый охранник снизу, который сегодня днем уверял, что в Сенино отсутствие к ним в квартиру никто не наведывался.

Сеню в четыре руки начали вытаскивать из шкафа. Здоровенный Баск оказал достойное сопротивление, но его сильно ударили по голове. В глазах помутнело. Он потерял сознание.

Очнулся он в столовой. Домработница совала ему под нос ватку, смоченную нашатырным спиртом. В голове у Сени гудело. Кроме того, он оказался в наручниках.

— Ну, голубь мой сизокрылый, — злобно прошипела Валентина Аркадьевна, — давай-ка работай. Нам, понимаешь ли, очень этот ящичек нужен.

Охранник угрюмо взирал на Баска. От него исходила нешуточная угроза.

— Не буду, — сквозь зубы процедил мальчик. — Вам надо, сами и открывайте.

Охранник, по-прежнему не произнеся ни слова, подошел к Баску и сильно пнул его ботинком в бок. Сеня взвыл от боли.

— Хочешь жить, откроешь, — не сводя с него безумного взгляда, прошипела Валентина.

Баску стало ясно: как только он откроет тайник, с жизнью можно распрощаться. Пашка уже наверняка начал действовать. Значит, единственный способ спастись — тянуть время.

— Ладно. Открою, — прикинулся он, как будто сдался под натиском грубой силы. — Только так я не смогу. Снимите.

И он поднял вверх скованные руки.

— Снять? — озадаченно посмотрел охранник на Валентину.

— Сбегай на кухню. Там в шкафчике у окна есть веревка. Свяжем ему ноги, — приняла решение домработница. — И петельку на шею, — она вдруг зашлась в истерическом хохоте. — Чтобы не дергался.

Охранник ушел. Валентина, не сводя глаз с Баска, продолжала смеяться, и от этого мальчику сделалось совсем жутко. «Ноги у меня пока свободны, — с лихорадочной скоростью пронеслось в голове, — может, успею вскочить — и к двери?»

— Не рыпайся, — Валентина, видимо, что-то заподозрила.

Схватив со стола ружье, она направила его в лицо мальчика. Сеня узнал английскую двустволку из коллекции отца.

— Не сомневайся. Заряжена, — сообщила бесноватая тетка.

Охранник вернулся и крепко связал Сене ноги. Из оставшейся части веревки он сделал петлю, которая вмиг оказалась у Баска на шее. И только после этого Валентина расстегнула наручники.

— Теперь, будь любезен, пошевеливайся, — проскрипела она.

— Да я точно не помню. У меня ведь случайно получилось, — плачущим голосом произнес Баск. «Только бы Пашка скорее успел. Только бы успел!» С этой единственной мыслью он начал изображать, будто тщательно ощупывает завитки внизу корпуса.

— Скорее, скорее, — подгоняла его домработница.

— Слушай, тетка, — вдруг подал голос охранник. — Давай лучше по-быстрому разрубим эту фигню. А то мне на пост возвращаться надо. Ведь хватятся, подозревать начнут.

У Баска по спине побежали мурашки. Сейчас решалась его участь. Чем быстрее они достанут сокровища, тем короче окажется его, Сенькина, жизнь.

— Молчи, идиот! — напустилась Валентина на охранника. — Тебе-то не все равно, когда ты на пост вернешься?

— Ну да. Привлеку внимание, — тот явно не был согласен. — Здесь скоро такое начнется!

Щелк! Ящичек вновь вылетел прямо в лицо Сене. «Дурак! — в ужасе подумал мальчик. — Угораздило же меня нажать туда, куда надо».

— Надевай на него наручники! — тут же распорядилась Валентина.

Охранник исполнил приказ.

«Ну все, — подумалось Баску. — Теперь я точно погиб».

На него вдруг накатила апатия, и он равнодушно наблюдал, как Валентина дрожащими руками стала вытаскивать из тайника драгоценности. «И за что погибну? — с тоской размышлял мальчик. — За пару горстей побрякушек».

То, что он назвал побрякушками, перекочевало в сумку домомучительницы.

— А с этим что делать? — вновь ткнул Сеню ботинком в бок охранник.

— С этим... — Валентина Аркадьевна задумалась, но добавить ничего не успела.

Оконное стекло со звоном вылетело. В столовую влетели двое в камуфляже и с автоматами.

— Стоять! Не двигаться! Руки за головы!

Из передней тоже послышался топот.

«Спасен», — понял Сеня.

Сутки спустя от своих кенгуру возвратились Баскаковы-старшие. Виталий Семенович действительно даже не подозревал, какие сокровища ему достались в качестве совершенно бесплатного приложения к уникальному «Карлу Цвайсу». Вернувшись в Москву и найдя сына в добром здравии, нефтяной олигарх предпринял «собственное расследование», о результатах которого Сеня, разумеется, поведал ребятам.

Оказалось, что у Валентины Аркадьевны еще в ранней юности была подруга, происходившая из старинного и славного княжеского рода. Так, во всяком случае, утверждала бабушка подруги — Екатерина Александровна. Она могла часами рассказывать девочкам о блистательном прошлом своего семейства. Прекрасной жизни положил конец 1917 год. Семья лишилась всего — общественного положения, богатства и даже элементарных средств к существованию. Доходя до этого момента воспоминаний, Екатерина Александровна обычно вздыхала:

— Ах, если бы мой старший брат Юрик не спрятал в тайник часов мамины драгоценности. Лучше бы с ними просто сбежал.

И девочки в сотый раз завороженно слушали историю о том, как в последний момент перед арестом семьи Юрик положил в тайник уникальных напольных часов «Карл Цвайс» номер два лучшие из фамильных драгоценностей.

Так вышло, что Екатерина Александровна единственная из всей семьи осталась жива. Она много лет пыталась найти часы. Но тщетно: «Карл Цвайс» бесследно исчез.

Впрочем, девочки, жившие уже в совершенно иной эпохе, воспринимали эту историю как сказку. Разве только иногда принимались мечтать, что сделали бы, найди они «Карла Цвайса».

Давно уже не было на свете Екатерины Александровны, да и подруга Валентины Аркадьевны скончалась совсем молодой, а с ее кончиной угас и знатный княжеский род.

Личная жизнь у Валентины Аркадьевны не сложилась. Ни мужа, ни детей. Из конторы, где она проработала всю свою жизнь, ее за два года до пенсии уволили по сокращению штатов. Хорошо еще, удалось устроиться домохозяйкой к подруге Сениной мамы. На новом месте Валентиной Аркадьевной были очень довольны и платили вполне сносное жалованье.

Именно от своей работодательницы Валентина Аркадьевна услышала, что муж ее подруги, Виталий Семенович, приобрел на аукционе «потрясающие уникальные часы «Карл Цвайс» номер два».

Валентина Аркадьевна едва сумела тогда сдержать нахлынувшие чувства. «Как же так? — с возмущением размышляла она. — Одним все, а другим ничего!» При помощи очень осторожно заданных наводящих вопросов она выяснила, что Баскаковы даже и не подозревают о тайнике. Тут у нее и возникла безумная надежда, что содержимое тайника так и осталось нетронутым. К этому времени у нее в голове словно что-то сместилось. Теперь она была совершенно уверена, что именно ее бабушка происходила из княжеского рода и рассказывала эту историю про тайник в часах. А потому Валентина вознамерилась вернуть то, что принадлежало когда-то ее семье.

Первым делом она устроила на работу в охрану подъезда собственного племянника. Однако попасть в квартиру Баскаковых долго не удавалось.

Затем ей неожиданно повезло: родители Сени собрались отдыхать и срочно подыскивали подходящего человека для присмотра за сыном. Кандидатура Валентины Аркадьевны им вполне подошла. Это было неслыханной удачей.

Женщина поделилась своими замыслами с племянником и пообещала ему долю. Молодой человек тоже загорелся. А главное, обоих сообщников вдохновляло, что об изъятии ценностей, если они там окажутся, никто не узнает. Ведь, кроме тетки и племянника, о них в этом мире теперь никому не ведомо.

Оставалось найти тайник. Чем домомучительница и занималась при любой возможности. Правда, именно возможности оказались ограниченны. Ибо в первую половину дня, когда Сеня был в школе, домомучительница продолжала работать у своей хозяйки. А потом домой являлся Баск. Для ускорения поисков Валентина Аркадьевна решила действовать ночью. Тем более что нашла наконец ключи от часов, которые Баскаков-старший, разумеется, не повез с собой к кенгуру, а спрятал в вазочку на своем письменном столе.

Приступая к ночным поискам, Валентина Аркадьевна попросила племянника отключить свет в квартире. Мол, если Сеня проснется, то, пока сообразит в темноте, что к чему, она успеет удрать в свою комнату.

Баск, однако, оказался хитрее и едва не засек ее в столовой. Сбежав лишь в последний момент, Валентина Аркадьевна дала сигнал племяннику включить электричество. Таким образом Сеня оказался в полном недоумении, а Команда отчаянных пришла к выводу, что в дело вмешались потусторонние силы.

На следующую ночь Валентина подстраховалась и подсыпала Сене в чай снотворное. Именно потому он и проспал первый урок. Однако поиски тайника снова не увенчались успехом. А повезло, по иронии судьбы, Баску, который совершенно случайно нажал на нужные завитки дерева.

Как после объяснил Виталию Семеновичу часовщик, полдела в раскрытии тайника принадлежало Валентине Аркадьевне, ибо во время ночных поисков она случайно дотронулась до рычажка остановки часов. Когда механизм работал, выдвинуть ящичек не представлялось возможным. Впрочем, и сам часовщик разобрался в хитроумном устройстве лишь после того, как ему продемонстрировали тайник.

Обо всем этом Сеня рассказывал друзьям в школе. Потому что снова стал жить в загородном доме, куда его увозили на машине с охранником сразу после уроков. Теперь перемены были единственной возможностью пообщаться с Командой отчаянных.

— Ребята! — подбежала Дятлова. — Ну когда же мы с вами закончим газету?

— Завтра, Наташка, завтра! — не сговариваясь, выпалили все шестеро.

Оглавление

*Читайте детские детективы
Антона Иванова и Анны Устиновой
о приключениях «Команды отчаянных»:*

ЗАГАДКА БОРДОВОГО ПОРТФЕЛЯ

ЗАГАДКА САПФИРОВОГО КРЕСТА

ЗАГАДКА НЕВИДИМОГО ГОСТЯ

ЗАГАДКА ВЕЧЕРНЕГО ЗВОНКА

ЗАГАДКА ПРОПАВШЕГО СОСЕДА

ЗАГАДКА СТАРИННЫХ ЧАСОВ

ЗАГАДКА ПОДСЛУШАННЫХ РАЗГОВОРОВ

ЗАГАДКА СОРВАВШЕЙСЯ ВСТРЕЧИ

ЗАГАДКА КРАСНЫХ ГРАНАТОВ

ЗАГАДКА ЗОЛОТОЙ ЧАЛМЫ

ЗАГАДКА БРОШЕННОЙ ЛОДКИ

Литературно-художественное издание

Для среднего школьного возраста

ДЕТЕКТИВ & ПРИКЛЮЧЕНИЯ

**Иванов Антон Давидович
Устинова Анна Вячеславовна**

ЗАГАДКА СТАРИННЫХ ЧАСОВ

Ответственный редактор *Т. Суворова*
Художественный редактор *С. Киселева*
Технический редактор *О. Куликова*
Компьютерная верстка *Е. Мельникова*
Корректор *Л. Никифорова*

ООО «Издательство «Эксмо»
127299, Москва, ул. Клары Цеткин, д. 18/5. Тел. 411-68-86, 956-39-21.
Home page: **www.eksmo.ru**   E-mail: **info@eksmo.ru**

Өндіруші: «ЭКСМО» АҚБ Баспасы, 127299, Мәскеу, Клара Цеткин көшесі, 18/5 үй.
Тел. 8 (495) 411-68-86, 8 (495) 956-39-21.
Home page: www.eksmo.ru . E-mail: info@eksmo.ru.
Қазақстан Республикасындағы Өкілдігі: «РДЦ-Алматы» ЖШС, Алматы қаласы,
Домбровский көшесі, 3«а», Б литері, 1 кеңсе. Тел.: 8(727) 2 51 59 89,90,91,92,
факс: 8 (727) 251 58 12 ішкі 107; E-mail: RDC-Almaty@eksmo.kz
Қазақстан Республикасының аумағында өнімдер бойынша шағымды Қазақстан
Республикасындағы Өкілдігі қабылдайды: «РДЦ-Алматы» ЖШС,
Алматы қаласы, Домбровский көшесі, 3«а», Б литері, 1 кеңсе.
Өнімдердің жарамдылық мерзімі шектелмеген.

Сведения о подтверждении соответствия издания
согласно законодательству РФ о техническом регулировании
можно получить по адресу: http://eksmo.ru/certification/

Подписано в печать 31.01.2013.
Формат 84х108 $^1/_{32}$. Гарнитура «Букман».
Печать офсетная. Усл. печ. л. 10,08.
Тираж 4 000 экз. Заказ 4898.

Отпечатано с электронных носителей издательства.
ОАО «Тверской полиграфический комбинат». 170024, г. Тверь, пр-т Ленина, 5.
Телефон: (4822) 44-52-03, 44-50-34, Телефон/факс: (4822) 44-42-15.
Home page – www.tverpk.ru Электронная почта (E-mail) sales@tverpk.ru

ISBN 978-5-699-62566-6

9 785699 625666>

Оптовая торговля книгами «Эксмо»:
ООО «ТД «Эксмо». 142700, Московская обл., Ленинский р-н, г. Видное,
Белокаменное ш., д. 1, многоканальный тел. 411-50-74.
E-mail: **reception@eksmo-sale.ru**

***По вопросам приобретения книг «Эксмо» зарубежными оптовыми
покупателями*** обращаться в отдел зарубежных продаж ТД «Эксмо»
E-mail: **international@eksmo-sale.ru**

International Sales: *International wholesale customers should contact
Foreign Sales Department of Trading House «Eksmo» for their orders.*
international@eksmo-sale.ru

***По вопросам заказа книг корпоративным клиентам,
в том числе в специальном оформлении,***
обращаться по тел. 411-68-59, доб. 2299, 2205, 2239, 1251.
E-mail: **vipzakaz@eksmo.ru**

***Оптовая торговля бумажно-беловыми
и канцелярскими товарами для школы и офиса «Канц-Эксмо»:***
Компания «Канц-Эксмо»: 142702, Московская обл., Ленинский р-н, г. Видное-2,
Белокаменное ш., д. 1, а/я 5. Тел./факс +7 (495) 745-28-87 (многоканальный).
e-mail: **kanc@eksmo-sale.ru**, сайт: **www.kanc-eksmo.ru**

Полный ассортимент «Эксмо» для оптовых покупателей:
В Санкт-Петербурге: ООО СЗКО, пр-т Обуховской Обороны, д. 84Е.
Тел. (812) 365-46-03/04.
В Нижнем Новгороде: Филиал ООО «Торговый Дом «Эксмо» в Нижнем Новгороде,
ул. Маршала Воронова, д. 3. Тел. (8312) 72-36-70.
В Ростове-на-Дону: Филиал ООО «Издательство «Эксмо» в г. Ростове-на-Дону,
пр-т Стачки, 243 «А». Тел. +7 (863) 305-09-12/13/14.
В Самаре: ООО «РДЦ-Самара», пр-т Кирова, д. 75/1, литера «Е».
Тел. (846) 269-66-70.
В Екатеринбурге: ООО «РДЦ-Екатеринбург», ул. Прибалтийская, д. 24а.
Тел. +7 (343) 272-72-01/02/03/04/05/06/07/08.
В Новосибирске: ООО «РДЦ-Новосибирск», Комбинатский пер., д. 3.
Тел. +7 (383) 289-91-42. E-mail: **eksmo-nsk@yandex.ru**
В Киеве: ООО «РДЦ Эксмо-Украина», Московский пр-т, д. 6.
Тел./факс: (044) 498-15-70/71.
В Донецке: ул. Артема, д. 160. Тел. +38 (062) 381-81-05.
В Харькове: ул. Гвардейцев Железнодорожников, д. 8. Тел. +38 (057) 724-11-56.
Во Львове: ул. Бузкова, д. 2. Тел. +38 (032) 245-01-71.
Интернет-магазин: www.knigka.ua. Тел. +38 (044) 228-78-24.
В Казахстане: ТОО «РДЦ-Алматы», ул. Домбровского, д. 3а.
Тел./факс (727) 251-59-90/91. RDC-Almaty@eksmo.kz

Полный ассортимент продукции издательства «Эксмо»
можно приобрести в магазинах «Новый книжный» и «Читай-город».
Телефон единой справочной: 8 (800) 444-8-444.
Звонок по России бесплатный.

В Санкт-Петербурге в сети магазинов «Буквоед»:
«Парк культуры и чтения», Невский пр-т, д. 46. Тел. (812) 601-0-601
www.bookvoed.ru

По вопросам размещения рекламы в книгах издательства «Эксмо»
обращаться в рекламный отдел. Тел. 411-68-74.

Интернет-магазин ООО «Издательство «Эксмо»
www.fiction.eksmo.ru
Розничная продажа книг с доставкой по всему миру.
Тел.: +7 (495) 745-89-14 . E-mail: **imarket@eksmo-sale.ru**